国家出版基金项目
NATIONAL PUBLICATION FOUNDATION

《三联经典文库》

第二辑

2012 年国家出版基金项目

三联经典文库

114

瞻回东战场

长江　罗平　等著

生活·讀書·新知 三联书店

图书在版编目(CIP)数据

瞻回东战场 / 长江，罗平等著. —北京：生活·读书·新知三联书店，2014.1
（三联经典文库第二辑）
ISBN 978-7-108-04646-8

Ⅰ. ①瞻… Ⅱ. ①长… ②罗… Ⅲ. ①散文集－中国－当代 Ⅳ. ①I267

中国版本图书馆CIP数据核字(2013)第252967号

114 瞻回东战场

责任编辑　龚黔兰
封扉设计　蔡立国
责任印制　徐　方
出版发行　生活·讀書·新知 三联书店
（北京市东城区美术馆东街22号）
邮　　编　100010
经　　销　新华书店
印　　刷　北京市松源印刷有限公司
版　　次　2014年1月北京第1版　2014年1月北京第1次印刷
开　　本　787毫米×1092毫米　1/32　印张　5.5
字　　数　74千字
定　　价　20.00元

《三联经典文库》出版缘起

适逢生活·读书·新知三联书店八十华诞，为弘扬传统，接续文脉，回报读者，服务社会，我们决定策划出版《三联经典文库》。

1932 年 7 月，生活书店在上海创办，此后，读书出版社和新知书店相继成立。本文库第一辑、第二辑所选图书，来自于这三家出版单位及其分支机构，以及 1948 年生活·读书·新知三联书店成立后的出版物，始于 1932 年，截至 1951 年，两辑各一百种。此为第二辑，涉及政治、经济、社会、军事、思想文化诸领域，涵盖专著、文集、散文、小说、诗歌、传记、报道等体裁，既有直面现实、追求真理、讴歌真善美、抨击假恶丑的原创作品，又有引介世界各国先进文化、传播新知、开启民智的迻译之作，真实记录了那一代知识分子的思考与探索、理想与愿景和对中华民族文化传承与创新所做出的努力与贡献。

本文库所辑入各书，多为名家名作，在版本方面，以初版一印本或经著译编者审定、修订、增订过的版本为首选，因此本文库又具有较为珍贵的版本价值和收藏价值。

本文库还将编选续辑，使之成为恢弘文化工程。诚挚希望读者给予批评和指正，帮助我们完善编选工作，再现三联经典作品之风采。殊为遗憾的是，由于年代久远，一些原著译编者及其后人未能取得联系并奉付稿酬，诚盼版权所有者与我们联系。祈愿三联前辈所创造的精神财富能薪火相传，为中华文化的伟大复兴增光添彩。

《三联经典文库》编辑委员会

2013 年 8 月

凡　例

一、本文库为重排本，由繁体字竖排版改为简体字横排版。

一、以忠实于原作、整旧如旧为编辑原则，对当时使用的专有名词、外文译名，以及民国时期的语言和特色予以保留。

一、原书注释如旧，编者所出的注释，均以“编者注”标明，以示与原书注释的区别。

一、对原书残缺或字迹漫漶之处，以□示代。

一、对繁简文本转换时的“如右”、“见左”一类，对应改为“如上（前）”、“见下（后）”。

一、对原书中各种错讹脱衍之处，直接订正，不再以其他符号标示。

一、对数字、标点符号的用法，在不损害原文语义的情况下，做必要的规范。

一、本文库各书均前插原书书影、原书版权页和文库版“本书出版说明”。

一、本书出版说明的撰写，以客观中立为原则，扼要介绍本书的内容、版本流转、著译编者的情况。

本书出版说明

本书是由十三位作者创作的十六篇文章所组成的一个小文集，展示了抗日战争时期，东线战场的诸多情况。这些文章分别是:《忆夜战场》、《乍浦到浦东》、《南翔归来》、《难民的行列》、《沪太路上》、《从上海到苏州》(一)(二)、《在苏州》、《战云弥漫的天堂》、《敌机轰炸中的苏州》、《无锡三周间》、《救亡演剧在常州》、《九十六架敌机袭京记》、《在笕桥》、《嘉兴六日记》、《“天堂”一角》。

本书由生活书店1938年2月初版，同年5月再版，此次出版，即以此为底本。

长江，即范长江(1909-1970)，原名希天，生于四川内江。1932年，范长江进入北京大学哲学系学习。1933年下半年起，开始为北平《晨报》、《世界日报》、天津《益世报》等报撰写新闻通讯，多为文化教育方面的内容；后又为《大公报》撰稿。1939年，范长江加入中国共产党，先后担任新华社总编辑、新闻总署副署长、《人民日报》社社长等新闻宣传单位重要领导职务。著作结集为《范长江新闻文集》。以其名字命名的“范长江新闻奖”，是表彰奖励我国中青年新闻工作者的全国性高层次新闻奖。该奖项于2005年与“韬奋新闻奖”合并成为“长江韬奋奖”。

罗平，情况不详。

生活·读书·新知三联书店

2013年8月

生活书店 1938 年 5 月再版书影

"抗戰中的中國"叢刊之三

瞻迴東戰場

每冊實價國幣叁角
外埠酌加寄費

著者　長江　羅平

主編者　長江

發行者　生活書店　漢口　上海　廣州　重慶　西安　長沙　梧州　成都

中華民國二十七年二月初版

中華民國二十七年五月再版

原书版权页

目次

忆夜战场

长　江

闸北退兵了！就全战局说，没有重要关系。而从前我们不便发表的地区景物，现在已全成过去，可以任情的讲了。我们的过去战场情绪，是不应该败的！

在制空权丧失了的战场，西半球对着太阳的时候，才是我们将士飞跃活动的时间。我们战地新闻记者的活动，也不能不是主要的在夜间。飞机啊！最初发明你的莱特弟兄，是打算拿来屠杀人类的呢？还是被不合理的社会错用了呢？日本飞机每天几十架在上海附近战区投炸弹，打机关枪，然而飞机是日本民众的血汗之积累，炸弹是日本国民应有的生活享受被剥削的创痕，日本国民果何曾有对中国人民不可解的冤仇，而忍将其辛苦经营之成果，不用之于自己生活之享受，而用以无情的屠杀中国人民呢？

屡屡在夜间出入战场，租界中繁华奢靡的市面和租界外凄凉惨暗的情形，使人发生两个国度的印象。在一个强有力的国家势力所及的土地上，哪怕是只有一面国旗在那里，而且不管对于那块土地的统治权是否来得正当，然而侵略者对于那面国旗后面所代表的力量一加考虑，就不能如对付弱势国家的为所欲为了！

仅仅有少数外国兵岗位的里外，就是和平与战场的分野，我们数十万的将士在这几个外国兵岗位外面日夜和敌人的飞机大炮鏖战，我们千千万万的人民每天在日本凶残的轰炸政策下过活。全国战场上，经过每二十四小时的战争，不知道有多少壮烈的伤亡，我们非武装的城市和乡村，也不知道有多少被破坏，我们的经济文化的中心，不能在我们自己力量保护之下，建立在我们的后方，相反的我们的若干重要的活动，都是寄托于租界。

谢谢“一·二八”的恩赐，我们能建造成功一条闸北和南市联系的中山公路，这是我们绕过租界通达上海南北的军事交通要道。“八一三”以后的军事运输，中山路仍然作成功不少的贡献，可惜我们没有在“一·二八”之后，真真实实的把上海附近非外观的武装起来，这样坚固的虬江码头，而今作了日军登陆的便利交通点，市中心区里面富丽堂皇的大礼堂，和图书馆、博物馆等辉煌的建筑，在百孔千疮之余，还作成了方便敌人防御的据点，就是这条中山路也没彻底改造，使之配合于大量军事运输的需要，上海仅仅两个多月的战争，中山路已经当不起繁重的运输而凸凹不平了！

话又说远了，当热河战争之后，塘沽协定已经把河北平原的国防完全撤销之后，平津实际已经进入敌人的虎口，民国二十二年以后，北平若干高级文化和教育机关，还在那里大吹大擂的从事于高大洋楼的建造，数万和数十万之代价一座的新式建筑，接二连三的出现于古老的文化城中，其意若曰“加强国防第一线上的教育设备”，则今天已道道地地的作成了日本军队的兵营！

国家在经济文化各方面，需要不断的建设，这是一点不错的，但是建设的目的当然是为了我们自己国家的利益，当我们处在强邻环伺，国家生存根本感到威胁的时候，我们最切要的工作，是如何保护我们的生存，就是国防应该是第一，明明知道我们没有保护力的地方，而复谈物质建设，结果不但浪费了艰难的国家财力，麻木了民众意识，而且在客观上给予了敌人以便利！

夜间的前方，无论村庄和城镇都很少见有普通居民的活动，真如，南翔、闸北、北新泾一带的一般民房，破败得零乱不堪，有的是没有了墙，有的是塌了屋顶，有一天晚上我去看过一所被炸的疗养院，这是一所钢骨水泥建筑的近代医院，日本飞机把它炸得乱七八糟，只剩了片段的墙壁，凄凉的兀立在月色朦胧之中。

白昼完全不能活动的战场，这数十万英勇将士的攻击、筑工、饮食、运输、补充等，都全靠着夜间来活动，我们的交通工具太简单了，很难在一个短短的夜间，能满足我们战场上一切的需要，特别是将士们的私生活方面，太没有照顾的余裕了。需要刺激了供给，于是在好几处破烂的村镇上，发现了军人或者勇敢的商人在夜间开市的杂货店，罐头、香烟、火柴、糖果、肉类、烧饼、花生……凡是足以增加生活兴趣的东西，几无不应有尽有。在壁穿顶漏的破屋中，一枝鱼油烛的光辉烘映着这样的杂货商摊，人影幢幢的都是些衣服污浊、面目辛劳的士兵和夫役，如果在伤兵转运站的附近，轻伤的将士，常常是这些商摊的照顾者。

在夜间本是敌人防御的时间，然而他们的炮兵仍然不完全停止活动，他们估计着我们增援部队必经的要路，不断用空炸炮弹射击过来，希望杀伤我们的人马，阻滞我们的援军，所以要路口的上空，总是“轰！……哗……”地经常遭受敌人的炮击。然而据经验所得，这样炮击的效力太小了，“轰哗”了半天，只让日本民众的血汗，毫无代价的抛掷在中国领土上！

中国人对于“死”的观念，似因民族革命战争之爆发而与昔不同，洛阳桥是我们前线一个夜间运输联络站，在一天晚上因为汽车拥塞，电光过巨，被日本打中了好几炮，炸坏了十几个人，其余的人仍然很镇定的安置了伤亡，继续做转运、卖买、救济、分配粮食弹药等活动。

中国古时用兵，形容夜袭军队，往往用“衔枚疾走”这一句话，意思是人不叫马不嘶的兼程前进，以袭敌人。这次上海战场上我们军队的运动，全在夜间，后方到前方的生力军，和前方回后方休息的辛劳队伍，没有不是鱼贯而行，了无声息的。

有一晚，我们去看 ××× 先生，他那时的指挥所是在大场南面的孟家木桥，那里是陶行知、张宗麟诸先生所办工学团的校址，战争以前，我在这乡村里和几十个艰苦读书的少年见过一次面，他们是那样的天真、活泼和健壮，其中有几位小弟弟，对于较深的政治分析，也能集精会神往下听，听到乐观处，他们是那样的兴奋，听到困难处，他们是那样的忧心。然而我第二次到那里，已经是庭园冷落，人物全非，村口有雄威的哨兵问口令，屋内已掘成高厚的防御工事，旧日课堂，已成参谋业务室，旧日少年们歌唱之地，而今是赳赳武夫踱步之场！敌人的大炮不断的在天空中轰轰炸响，机关枪在村外又是咯咯的作声。

当大场战局正紧，沪太公路上退下来一些士兵，他们一时脱散了队伍，然而他们异常安静的休息在公路旁边，静待他们长官的安排。老实、平和、壮健，情绪上他们是已经进入了近代军队的水准，震天的炮火，似乎对他们已经没有什么刺激。在沉默中隐然表示着不可侵犯的力量！

中国军队的编制、装备、调练，还没有完全统一，这次在上海作战的军队之复杂，为中国过去战争史上所未曾有，几乎全国军队都混合使用到上海来，然而大家相互间的“同志之爱”，是异乎寻常的感动人的。经验较少、器械较差的部队，如果调到激烈的战场上，原来已经撑持正猛烈战斗的队伍，一定告诉后来者以种种实战经验，请他们注意。有一次某师接防大场西北，前面已经牺牲很大的部队，恐怕他们新来的同伴，经不起敌人炮火的恐怖，先请他们在第一线后方见习两天，自己仍然苦撑下去，至到已经有点把握，才把防务交代过去。

伤兵的情绪，仍然很好，每一个伤兵转运站都聚集若干轻重不等的伤兵，静候着救护的车辆，救护队人员在他们中间照料着。他们受伤以后，行动还是有秩序。在前线最勇敢的救护队，要算僧侣救护队，其次要算四川旅沪同乡会救护队，他们无声无息的在前方埋头工作，能深入第一线救护伤兵，得着前线将士深切的爱戴。只是在十月二十一和二十二两夜的总攻，我们于崩溃日军之后，自己的伤亡亦大，真如车站以西至南翔昆山之公路上，几于每一岔路口，每一村店每一桥头，都集结众多之伤兵！我们救护组织太无力了。实际工作的人没有多少，车辆也太不够，于是这大批突然增加的伤兵，拥塞途中而无人救护。三十、二十伤兵一堆，十个、八个一团，轻伤的带着鲜红的血迹，彳亍步行。打伤腿的只剩了一只脚，有不少是扶着手杖，一跳一簸的前进。完全不能行动的伤兵，只有躺在大道旁边，无可奈何的呻吟！惨烈的战斗受伤之后，又遭受到这样凄冷的待遇，伤兵们自然不能忍耐了。我们的车在二十二日夜间过南翔赴昆山，沿路皆为伤兵所阻，他们争欲登车，然而车上所能容纳的人数太过有限，他们于是想爬在车的旁边和车的前面，然而这辆小车在那样破烂的路上，如果过分的负担，只有大家不走了。因为我们事实上不能不婉谢很多劳苦功高的受伤将士，他们于是乎动怒了。几乎沿途都有伤兵用木棍打我们的汽车，打得我们无限惭愧！无限凄怆！因为他们这样英勇的为国家和敌人拼命，受伤之后，我们不能有完善的救护组织，迅速的把他们救到安全的后方，减轻他们的痛苦，这是我们政府和人民对不起忠勇的将士。在他自己立场上看来，我们为国家这样的牺牲，现在弄得生不生死不死的流浪到凄风凉夜的公路上，你们这般坐汽车的人，平日里够养尊处优的了，到这样一个悲凉的场合，你们的汽车还不让我们坐坐，救救我们的痛苦，似乎也太该打了！诚然他们不明白我的车是什么任务，不原谅我车的容量，然而他们这种棍击的行为，是表示抗战军人对于后方有救护责任的人们的抗议！

这回真真实实算“打死仗”，敌人的炮兵把我们的村庄当铜墙铁壁来攻击，一个村庄动辄打几百炮，他们的“区间射击”，使我们没有一块地方能幸逃敌炮的摧残，我们前线土木材料简单作成的工事，被他们打得天翻地覆，然而我们的将士仍本坚定如山之抗敌意志，继续前进，无穷尽的未死者，很快的补上了已死同志岗位，永远有新的力量抗战冲锋！当敌人猛攻蕴藻浜西南的塘北宅和陈家巷一带之夜，在洛阳桥附近的 ××× 先生的指挥所里有几位年轻活泼而笃实的参谋，异常安详的和各方用电话联络。洛阳桥以北的机关枪声，“咯咯”响的组成一极广大范围的音乐队！单拿他直辖的军队来说，那时已经由□□□[1]补充了三次了。塘北宅本是一连的阵地，我们在塘北宅却牺牲了九连人！一连打完了，再上去一连，直到一团人都完全牺牲在这一小小村庄上，日本的炮弹和炸弹不知在那里放了多少，我在昆山听到朋友说，守塘北宅那团的团长原来是旧友许良玉先生，他只剩了一个光棍到苏州去接收补充兵去了。

打死仗的壮烈现象，几乎全部战场以及各部队都是

[1] 原书此处漫漶不清，只能以“□□□”表示。——编者注

如此，我们很可以骄傲，很可以自信，但是回到 ×× 看看后方对于伤兵的待遇，不禁有几分怆然！伤兵们千辛万苦的回到 ××，而在 ×× 的医院只有两个，一个是救济委员会的第一医院，由上海东南医学院师生主持，他们人少伤兵多，整天忙不过来，里面住满了伤兵，有些夜间还没有御寒的被褥，送给他们的饭菜，上面全布满了苍蝇，手术室内断脚残手的惨相，让人愤怒到帝国主义侵略战争的残忍！我们去的那一次，医院门口还有没被收容进院的伤兵，有一个是打伤了腹部，衣服裤腰被血水泥土的混合物，胶成了不忍久视的一团，他的全部下身，鞋袜、绑腿和灰布裤上，整个的是刚从有水的战壕和河沟里面拔出来的模样，泥水还湿润糊在下半身，他已经毫无血色和毫无力量的靠卧在墙边，秋风卷夹着尘土无情地在他脸上吹过，似乎只有慈祥的日光这时才慰劳式地给予他相当的温暖！很难令人满意的，是这里那所官办医院的荒唐，他们的规模，远比这里为大，而他们的工作是“韬光隐晦”，唯恐伤兵找着了它！一所医院的后门外，那时正停放着死伤兵的担架，一个死尸从蒙盖他的破军毡下面，横伸着一只紧握拳头的苍手，大概对于杀敌未完身先死，表示不甘心，而对于后方救济机构的腐败，似亦有无限的愤慨！

乍浦到浦东

罗　平

居住在内陆的人，对于海是一种想象，到过海滨观望一次后，不由不使人起深切的眷念，尤其是在全面抗战勃发的时候，海上是更当为我们所怀念了。

我们的国土一大半是被海水环抱着的，只有站到海滨上去，能看出我们无限大的祖国的边缘，能深深感到生息在内面的四万万生命的亲切。在东海之滨，我们向外瞭望，更容易感受到有一种暴力迫切在我们的眉头。

东海是染有历史的血汁的，远在明季便成了敌国残暴的侵略的战场。虽然是他们另外一个种族倭奴

（Aina），但在他们的血统上是留着传魔性的柯奢麻允（Koshamain）的毒素的，他们永远以蛮横的海盗行为，来侵扰他们和善的邻国。

乍浦之夜

那是一个明朗的早晨，使我有个机会附乘了 × 县长的专车，向着深广的村野东南驶去，约二十余分钟便到了久为人所熟闻的乍浦。由于他们的盛意，被邀参加了该地的壮丁检阅。

我们一行五个人，沿着一条狭窄的小路，到一个广阔的校场，这时场上已集齐了武装的壮丁，一排一排地立正着，我们打从他们的身边经过，是铁一般的寂静，看每一个人的表情，都焕发出坚苦的光彩，而且涵蓄着英勇的精神。

近阅以后，我们便登上——检阅台，在台上，展开我们眼前的，是一表肃穆的气象，一边是坚定的行列，一边是来观望的千万市民的欢颜。他们的背影一半是投在高崇的天际，一半是在远阔的海面。校场的中央笔直地插着一枝旗桅，顶端是飘扬的国旗，被顽强的海风吹逐着，在和暖的阳光里，闪耀着鲜明的彩色。检阅的仪式的最后一个节目是呼口号，千百万张嘴巴，同时喊出了一个声音“打倒日本帝国主义”，这壮烈的一声声，我们能想象到它们将永远环绕在那苍茫的东海的海空，九峰山崇高的山巅。

不久我们便到旅邸休息，这时出现了一名勇将谢 × 长，他是驻守在此地的，看到他饱经风霜的面貌，配合他那爽朗的谈吐，使人很感兴奋。不觉使我想起这边的历史：

“你正可以做戚继光第二，将来战争胜利以后，这里的人也会给你立庙的。”

他听了我的话客气了一番，接着很坚定的说：

“这是我们军人的本分，在我驻守的地方，如果让一个敌人踏上岸来，我就不姓谢。”

“要是他们真的来怎样？”我打趣着说。

“来，他们敢来？你要知道这里的工事非常坚固，这种工事是出于敌人意料以外的，不过，他们真要来试一下我也并不反对，似乎没有什么好答谢他们，只有叫他们一个个‘招魂’回去！”

这边的海滩斜度很浅，沙质是异乎寻常的，人们都称之为“铁板沙”，潮退之后，人便可以下去走，有时能走二三十里外，也许因此，敌舰在这边是失了它的活动能力，虽然常有敌舰出没其间，但都十分忌避的，现在我们只能在缥渺的烟波中，看它们的淡影。这却使我回忆起一件有趣的事情，那是在一个偶然的机会，听到孩子们的一席话，他们一群三五个人，蹲在刚落潮的滩上，大概在拾蛎贝吧。

“一定是这个了”，一个满脸麻点的孩子手指着远方说。

“唔，那就是东洋鬼子？”另外几个不约而同都放手到眼上擦了擦，想看它个明白。

“那有什么稀奇。把它刷了去！”一个最幼小的孩子，扬着手里的一枝狗尾草，有的就抓了蛎贝，瞄准海上那颗灰点，像一阵急雨似的撒去。

我们由这些天真的谈话中，也可以看出抗敌情绪的另一面吧。

没有住惯海滨的，似乎觉得日子特别长，在晚餐后，我们走向海滨去，沿了一条悠长的海岸线，这时候，无边的月光，照着无边的海洋。大家都在沉默中，只有海涛发出的声音。

“以前我是参加过许多次内战，此刻能把枪口对外，意味就两样了。”

夹在我们一行人中间，× 长说了这样的话，配着这样的环境，听来确是无限感慨的。滨海的地方是多产蒹葭的，它的叶像利剑似的，闪着幽幽的光，一把一把的丛集在黑土上面。

浪潮越起越大，竟向塘边扑来了，横在内中是一声声悲壮而悠长的号令：“一——二——三——四”和浪潮一样，从远方传来，想必这正是千百个壮丁，乘着月光，在校场上操练的时候。

迎面来的，就是九峰山，山影横在我们眼前，仿佛是无数连抱的巨人，海鸥从它们的身边侧过，那泼剌的飞姿，正可以和站在防岗上的瞭望哨并在一起看。每一岗的哨兵，神色都是非常沉着，面向着辽阔的海洋，期待着怒潮的翻卷，肩荷了一支枪，刺刀在他们的背影间，散放出一闪一闪的寒光。要是从远远的地方望去，他们好似一根朝天刺去的钢针，只是影子，凝在月光和水光交蒙着的银雾中。

记者跑了不少地方，看到沿海一带的工事确实是非常坚固的，有几处还在加强而又加强。当我们路过时，看到军民正在一块儿说说笑笑，完成他们所指定的工事。

由于民众一切积极表现的事实，连同一个异国友人也深深感动了，他是意大利人，留在中国已经几十年了，主持横山上的一个教堂，当敌舰活跃于海面的时候，有人劝他逃避，但他不接受这好意。他说“我是中国人，所以我要死就死在这里！”因此有人认他是奸细，虽经他绝对否认，似都不能摆脱这嫌疑，终于后来事实证明，他在山巅常见有信号出现，便下了一番侦察功夫，亲自捉了个汉奸解送到军队。像这种“中国之友”，确是使我们感激的，这可以说完全由于中国此次壮烈的抗战激动了他的。我们相信，只要我们能坚持着抗战，世界上对于中国更会发出正义来，以至保证我们最后的胜利。

盐、渔及棉

滨海一带主要的产物是盐，其次是鱼和棉。从海盐一直到川沙，是记者足迹所及的地方。那里的居民全靠这三种作业来维持的，但他们生活大都非常艰苦，常有晨餐而无晚餐，平日每餐的食物不过是些米汤之类。

普通是以盐为主业，也有以渔和棉为他们的副业的，我们不要以为他们有这三种作业，生活当不成问题，哪知他们时刻在饥寒交迫中，辛苦了一年，仍是两手空空。更甚是盐民，受厥商、蓬长和税吏的几重剥削，他们要从千百粒盐上得到利益，是更要比农民的一粒谷米艰苦得多。

自从敌舰在海面出现后，他们的生活更不堪想象了，尤其是"海沙场"和"鲍廓场"的盐民，他们的盐是设灶煎煮的，目前可不能作了，因为怕敌机认作了目标，根本不能有火光，于是千百处盐灶从此熄歇。就是以日光曝晒的"芦沥场"也成问题了，因他们近塘岸的称为"中级"的滩地以及"卤漏"有时为建筑工事的关系而停止制造了。

这种影响当然出于不得已，可恨的是他们还要惨被敌人劫掠。本月初，海盐有三船的盐打海道运走，不料在中途被敌舰看见，便开枪勒令停船，自然他们不愿以自己血汗得来的东西轻易放弃的，他们只有不加理睬，让船继续行驶。这可激怒了敌兵，立刻放出一只汽船来用密集的子弹对准船上射击，结果是被击毙了一个船夫，把三只船迫到舰边，盐统统搬了进去。在非战斗员的盐民、渔民身上，搜索血汗，原是敌人经常的行为，什么皇军，是彻头彻尾的海盗。

渔民在沿海居民中虽是占次多数，可是他们的生活的艰苦和盐民没有不同，战前他们还可以在海面捞捕，勉强渡他们简单的生活，现在也不可能了，如果有机会让他们下海去，就准会被敌舰连人带船掳了去。现在他们只有对着高搁在岸边的渔船兴叹了，在平湖，有个奸商私运了五百石米接济敌舰，被民众告发了，当下就把它扣留，由县长散发给了渔民。虽然暂时可以安定一下他们的生活，然而这终不是根本解决的办法。

至于棉花，也已成为急待解决的问题，沿海一带土地是咸性，不宜种别的东西，因此，百分之七十都是种植棉花了，这里的棉花原都由上海的纱厂来收买。现在上海敌国的纱厂，根本不能再来。而中国的纱厂却又迟迟没有开工。于是把早已收获的棉花，搁了起来。“今年原已遭受了风灾，每亩减收了，却不料往年每担十五六块，现在跌到六七块都没有人要”。一个“棉”民曾对我说过这样感慨的话。

听说各上属机关都拟派人来收买，然而至今还未见实行，地方政府也曾为他们设法过，即是向银行借款接济，以棉花作抵押，可是银行不肯接受，说是如果这边战事发生，敌兵上了岸，就多受损失。但他们却没有想到，万一这边失掉了，而该行所在地就要成为第一道战线，经过再三情恳，总算答应下来，不过附有个条件，须将抵押品安全运到银行所在地去，然后交款。

看了这件事，我们不能不称赞金融家做事的老到和算盘的精明，在平时以这种方式交易，也许能说得过去，而在这全面抗战的现在，却似乎不必了，放一些款去安定和本身有连切关系的邻地，想也并非过分的要求吧。

现在站在国防第一线上的盐民、渔民和农民，确已在开始组织了，某县长还亲自对记者说："在必要时，我将统率他们在县境与敌人作游击战争。"除了希望这样的决心和准备能够普遍深入到沿海各县去之外，为了确保战争的胜利，还请千万不要忽略了改善他们的生活！

浦东一瞥

当我还没有走进浦东境地以前，对浦东有一种奇特的想象的，以为已经是颓垣倾屋，瓦砾满地，一片极目荒凉的世界了。所谓百闻不如一见，我所看到的浦东，虽是稍稍离江远一些，可是与往日并没有两样，除偶有几幢建筑物被破坏外，可说是都很完整的，街道上还是熙熙攘攘地来往着行人，商店还是照样敞开着门面，虽常能听见响亮的炮声和敌机的盘旋，但居民似已被训练得漠不在意，一点也不感到战争的恐怖了，有个居民告诉我说："飞机我们一点也不怕，家家都筑了防空壕，炮声我们也是听惯了的，如果听不见了，倒反而感到寂寞和忧惧，忧惧在上海方面的自己军队是后退了一些。"在村野，溪水平静地流着，炊烟照样缭绕着，农民照样在田里工作着，远处传来了悠扬的鸡鸣声，还是一脉平和的景象，这点该可以使关怀浦东的人，感到欣慰的。

倒是在邻近的县份，给我看到些不同的情形。我和《东南日报》记者刘君，想要知道当地的民众组织，便去访问 ×××，恐怕到得太早，特地在下午三点钟去，地位很好，设在幽雅的花园里面，看了这种使人悠然的景致，不由得仰慕起来，我便带着满腔希望进去，一步一步踏上石级，抬头一看，有这么两个字：“脱帽！”当然我们不能破例，于是也就恭恭敬敬地脱去帽，似因自然的趋势鞠了个躬，想必这里是重视礼节的，我也格外持重，初取探望态度，望了好些时候，既不见有人出来，又听不出响动，那只好放胆进一步，仍是如此，再进一步，却四顾皆空，恕我换个方式：叫唤，由低音叫到高音，还是寂然。当在我正要转身走的一刻，只见从楼梯上走下一个人，仪态颇为安详，也许我判别力差，不知道如何是好，经了他自我介绍后，才明白原来是我久想找他的“传达”先生。我问他这里办公的人，他说都已出去，要是想见他们可在吃晚饭的时候，准可以会到。这样，在我似乎是不必要了，因为时间上不允许我，还要别的地方去，这盛意，只得加以婉谢了。走出园门，回身向内面一看，给我的同样是一个悠然，禁不住脱口了“门可罗雀”的一句成语。

过了一县再是一县，因为在一个生疏的地方，没有现成的线索，当然不外乎访问与民众接近或统治民众的机关，这回可就两样了，给我找到一个负责的人，我们谈起抗敌后援会的情形，正是言简意赅，他说我们接到命令后已经是两个月，为的发下来只是一个简单的大纲，我们就根据这个大概拟出详细办法来，大概是详细的缘故，所以他觉得两个月的时间“差不多”。

看到和听到这些现象，我怀疑自己走错了路线，走进离开战区千万里远的安全地带来了，然而，在归途中，我打开地图一看，这几个县份，却是确确实实位于国防第一线上的呢！（三日）

南翔归来

许　华

黑夜兼程

昨天傍晚，气象突变，乌云满布天空，风势越来越大。这显然是大雨欲来的征候了。我们四个战地工作者和一个向导的民伕，便乘这个敌机不能活动的机会，匆匆出发到上海来。

穿过了破碎的南翔，天空渐渐黑暗下来了，我们便开始在棉花田的小路摸索前进，路是一线线的，不是左边有河浜，就是右边有小沟，崎岖艰难，真不好走。但是公路已不能通过，也只得兜这小路走。左跌右倒的摸索着，越过了许多村庄，但已看不到一条人影了。想找个老百姓问问前面的情况，也不可得，只有靠着民伕的带引，冒险前进。

走呀走的，夜色渐渐深黑了，斜风带着细雨，也开始扫袭我们这几个夜行人，天空没有一点星光，地面也没有一点灯火，整个原野好像一片茫茫黑海，只是上海的方面远远地露出半天火景，有如一抹殷红的晚霞。那就是敌人残暴的凶焰吧？

我们冒着细雨，在这黑海中奔波了许久，走得有点心急了。我便怀疑着民伕走错了路。我问他：

“路没有走错吧？”

他很有把握的回过头来说：“勿错。”于是我们安心地走，但是，天越来越黑，雨越来越密，小路上的泥色也模糊得看不清了，弄到老马识途的民伕也不敢相信自己，开始迟疑起来。走到一个交叉路，他都停一停，向四周打量一下才向前走。后来他竟回过头来说：

“先生，路看不清爽了，不晓得对不对。”

糟了！连他也没有了把握，误入了火线怎么办呢？这时，我们真是陷于前途险恶、后路茫茫的绝境。但是为了任务，我们不得不前进，于是我竭力镇定他的心：

“走吧，你认为那一条路对就走那一条吧！”

我们振作了一下，又迈出我们的步子。因为恐怕有人落了伍，几个人便握着一根竹竿像瞎子一边要喊着：“桥”、“小沟”，或者“转弯”，使后面的人知道。黑暗中时时有雄壮的“口令”声音传过来，我们也时时警戒着竖起耳朵听，并且给他们一个回声。有些弟兄还要看一看我们的放行证才准通过。

在黑暗摸索了半夜才扑到苏州河岸的平坦大道来，民伕恢复了自信，回过头来说：

“好，从这里直跑就是××镇了。”

我们听了这句话，不禁也觉得有了安慰。

雨中渡苏州河

我们沿着苏州河岸前进不远，便到了一个渡头，我们的民伕停了下来，他说要从这里摆渡过对岸才可以走，但是纵目四顾，没有一只船影，只见江水茫茫，凄凉地翻起急激的波浪，这怎么办？我们便叫民伕到附近去找找，一会儿他喘息着走回来，失望地说：

“先生，船全跑光啦！”

没有办法，于是有人提议游水过去，但是东西没有办法带去，而且民伕不会游水，陌生的我们怎能将他丢掉？这可真急煞了！

幸而，急中来了救星，一个湖南弟兄听到我们的声音，从黑暗中跑了出来，经我们说明了来历以及去向，并且给他看过放行证，他便叫了几个弟兄拖着一只小艇出来。小艇真是小得像一片叶，而且满身滑泥要经过风雨交加的急流，实在有点危险。但是，在这万不得已的时候，什么危险也不管了。

弟兄们手电筒照着我们落船，艰难地撑了我们过去，又很小心地照顾我们上岸，我们在这个难中得到这样的帮助，心里真是无限的感激。临走时我们对这位湖南弟兄说了几句道谢的话，他不在乎的说：

“不要客气，大家都是为国家出力的。”

从这点，可见我们在抗战中患难相共的精神了。

避雨亭畔遇劫

渡过了苏州河，也是平坦的大道，于是加速步子走了好几里，渐渐地我们觉得有点累了，便到路旁一间破旧的避雨亭去休息。

我、麦君、陈君和民佚四个人躺在亭子里的稻草上，B君嫌稻草臭，一个人坐在亭子外。忽然，不知从哪里出现了一个人，看样子便知道不是好人，我们便在黑暗的亭子里注意着他的行动。他走近来坐在B君的身边，B君问他是什么人。他像很可怜的说是在虹口做小生意，逃难到这里来的。B君再追问他的时候，说声未完，那家伙已动手抢B君坐着的篾袋子了。

“你动什么！？”B君喝了他一声。我们四个人便应声跳出来，一推把他推落棉田里，我们恐怕他有武器，便拖着民伕急走，一溜烟走了好远，回过头来看看，他也没有追上来，我们松了一口气，继续便步走。

不久，到了一条公路，而且不时有一两部汽车驰过。于是有人提议截车，请求载着我们走，但是车子只是隆隆地飞驰，理也不理，还是赶快走了吧。

赶了又赶。到了××镇。我和麦君曾在此受过两个月军训，对于路途自己也有点把握了，心里便觉得松了一点。

也不是好人

雨点越来越密，把我们的衣裳全都湿了，鞋子也装着水，走起来吱吱地叫。而且有人受了凉，打起喷嚏来了。我们便想法子找个避雨的地方，刚刚路旁有一个小村庄，并且有一点灯火露出来，我们便摸进庄去。原来这里的人家已逃光了，房子也被炸得七零八落，我们只得到那火光的小屋里去，希望找点暖意。当我们推开了那半掩的木门，一个不像农人的人静静地在那里煮南瓜，我们很客气地叩问他：

“老百姓，我们可以进来避避雨吗？”

他打量了我们一下，点点头表示允许，我们便进去，他很悠闲地把锅子里的南瓜装进了小碗，自言自语的问我们：

“你们到哪里去？”

“上海去。”陈君回答他。

“上海路远了，这样大的雨，在我这里避避，明天早上走吧？”

“不，我们一定要到上海去的，等雨停了我们就走。”

“也好，从这里到 × × ×，再到上海好了。”

他装南瓜，转身去找凳子，嘿！他的屁股旁边的衣角里竟露出半截刺刀来，我们当时给这个印象吓了一下，但我们立刻力持着镇定。我想这也不是好人，我便追问他。

“老百姓，你是住在这里的吗？”

他好像迟疑了一下，一字一顿的说：“我呀？我是从虹口逃出来的……几天没有饭吃，在田里找到一个瓜……”

咦！怎么逃难的人有刺刀呢？越说越不对了。我便对同志们说：

“雨停了没有？你们出去看看！”

他们会意了，我的意思都走到屋外去，连那不会意的民伕也拖在一道。他也似乎发觉我们要走了，在这一刹那，他那险恶的面目便暴露了出来，有如电影中的科学怪人一样，他立刻吹灭了火要来动手了。幸而我们走得快，在他吹火的时候，已急抓了篋袋子跳出门外了，我们和刚才危险一样，拼命向公路飞奔。

幸而，公路上有我们的马队，他们大概是赶赴前方的，我们便跟着一道走，使那家伙没有机会下手，心里才安定了下来。

险些误入火线

过了××××，我们和马队分了路，照原定的路线望着×××走。当时我们还没有知道火线也拉到了×××，但是越走越不对，大炮弹似乎不时向我们这方面飞过来。

啡……隆!

啡……隆！

这声音和我们在 ×× 前线听到的一样，有点像敌人开过来的，但我们还是自慰的说：这是我们的。依然冒险前进。忽然，格格格……格格格……很清晰的机关枪声也发作了。于是我们才判明火线已离我们不远了。

这时，一个桥梁上的哨兵向我们问口令，我们回答了之后，便上前去问他：

“同志，请问前面情况怎么样？”

他很镇定地说：“火线已拉到 ××× 来了。”

“那么 ××× 有没有敌人？我们要到上海还可以通过吗？”

“××× 是我们的，还没有敌人，不过你们顶好不要走 ×××。”他替我们打算一下：“从这里直走，见了公路便转弯，到了十字路口再找人问问好了。”

最后，他还小心地叫我们要警戒汉奸和敌人的便衣队，听到枪声便卧倒，我们道了谢，便向前进。我们的民伕听到火线已经拉到 ×××，已怕得不敢来了，宁愿走回头路，于是我们也只得让他回去，不过回头路也多危险，不知他能否安全回去，直使我现在还担着心。

同是苦难中人

我们遣回了民伕，便怀着恐怖的心情赶我们的路。我们的衣裳已经几度雨湿，加以严厉的夜寒，不禁使我们为之战栗。同时我们的腿踝也走得很酸痛了，但恶劣的环境不容我们在路上多休息，只得拼着最后的气力走。

那条荒草萋萋的公路，似乎是漫漫无尽的，走了又走都不见十字路口。在半途我们遇到一对逃难的夫妇，挑着一家的衣物被服走，那可怜的矮小妇人，一路走，一路泣着，对我们诉告：

“先生，苦煞了。儿子和娘炸死掉，只剩我们这两个了！……”

后来，她给那笨重的担子压得不能走了，向我们哀求着帮忙，我们同是苦难中的人，无论如何不能忍心不理的，于是我替她挑着那担子走，让她透一口气。走了一里许，又遇到一堆逃难的人群，坐在路边喘息。他们原是和那可怜的夫妇一道逃的，我便把担子还给她，因为我们要赶路，不能和他们慢慢地挨。

终于走到了一个十字路口，见了一部载重汽车停在那儿，我们便向那司机问路，他知道我们是同志，便叫我们到车上坐坐，等后面的车子来就载我们走。

我们的腿得到救星了。

到了大上海

一会儿后头的车子来了，我们的车子便向前驶，冒着迎面的夜寒，驰过轻纱一般的挂树上的浓雾，我们的湿衣给凉风吹干了，全身为之一爽，紧张的心情也为之松散了。

我们几个夜行人，瑟缩地交谈着路上遇到的人们，我们感激那患难相共相助的同志，我们痛恨那些可杀的坏人和汉奸，更痛恨我们残暴的敌人，你一句我一句，路上也不大寂寞。

车子开足了马力，颠簸中终于到了大上海，似乎很生疏的路灯，疲倦地放着微弱的惨淡的光辉，一闪一闪地从我们头顶驰过，喧嚣的都市已沉睡着了。但不知高枕安眠的市民们，曾梦到郊外战场上的弟兄们的辛劳否？

（三十日深夜）

难民的行列

林　娜

上面是热辣的八月的炎阳，下面扬着干燥的黄色的尘雾，掩护着这一列行进的人们。

一律是那样地，衣衫褴褛，神色颓丧；一律是那样地，面上写着悲哀的痕迹，沉重的脚步下隐匿着怒愤……

成千成万的群，走不完的行列，从火车站那边，踏着踉跄的步伐，扶老拖幼地通过斜坡、黄泥途，市民们好奇的注视，朝江边走。在那儿，遥遥在望，只隔着一条黄滚滚的长江，掩盖在绿色的树荫下，有他们底故乡！江北。

在故乡，灾荒与饥饿把他们赶出来，现在，战争的烽火、日本帝国主义炮烟，又把他们赶回去。好像一群狗似的。

老人拄着拐杖，举起他们疲乏的脚，蹒跚着走，眼中流着愁苦的泪，责怪这走不完的行程，小孩子在母亲干瘪的乳房边挣扎着，用猫似的叫声哭着，挥动小小的手臂，扯撕着乳房；在最后走着的是强悍的壮丁。在这行列里，他们负着最重要的任务，在他们牛的宽阔肩膊，担负着全家的资产，一个布包几件小家具和瓮罐，有些个还带着小孩子的摇篮和烧饭的锅灶。

有人从行列中退出来了，在路旁梧桐树荫下歇息，马上便会招引了一大批好奇的市民，把他们包围着，于是乎，便有几十种声调、成百的问题，纷杂地向他们投掷过去。末了，从他们口中得了满足，那报纸上看不到的传奇式的牺牲和战斗，才又慢慢的走开流向每一家店铺、每一个角落，焦急地广播出去，作为自己丰博的智慧的一部分。在这儿，是常常有这一类的闲人，事情懒得去做，每天专管站在街头、壁报揭示牌下，或有无线电收音机店口，看、听、探询着，于是夸张地回去转告他那已由于习惯而成固定了的听者。因为他们都太兴奋了，共赴国难成为他们生活的全部意义。

一个年轻的、面孔发黑的女人，用她破烂的肩角，倚在路旁的墙上，她是太疲乏了，柔弱地垂倒了头。在她怀中，静静的躺着一个不到周岁的婴孩，他已经死了，避过了火线，避过了飞机的轰炸，避过了恐怖和饥饿，而在火车将到时死了。面上发黑，小小的嘴角裂开，好像是甜蜜地睡着。

她，年轻的疲劳的母亲，还没觉得这惊心的突变，她不时轻轻伸手去拍着、抚摸他冰冷的面孔。用脏污的乳房去喂他僵硬的小口。她没有觉得这小生命会死的，不，这思想永远也不会触到她的脑里，因为在她那疲劳了的面上，不时流露着傲然的、幸福的光辉，好像明显地这样写着：

“看吧，我们虽然是悲哀的，然而是多么地幸福啊？”

她孤零地，除了那一身褴褛的衣衫，差不多是赤光的，为了怕太阳，她把衣服的下半段的纽扣打开，盖在婴孩的身上，她孤独而静寂的倚在那儿，遥望着远远的、走不完的行列后面。在行列里匆匆地走着的人，没有一个和她认识，也没有一个和她打招呼，虽然她们是受了同一的命运，被战争，被日本兵的炮火赶出来，坐了同一的车辆，要到同一的地方。

好奇的市民，马上就光顾到她了，有差不多十个左右的人，把她围在里面。

开始，他们都默默的和她对望着，而后，像对任何人一样地，丢掷出了成百的问题。

“你是从上海逃出来的？”

“怎样逃出来的？”

“我们是在虹口，当战事发生了才逃出来，什么东西都没带，什么东西都丢了，……”

“怎样到这儿的，这么多，走不完的人。”

“我们先到难民收容所，路局答应拨车子给我们，不要车票的，从六七天前就在车站等，一直到现在才到。”

“那么，你们没有亲眼看见打仗了？”

“不！我们看见的。”讲的兴奋起来了。“中国兵打得好极了，他们不要命似的向前冲，日本兵打不过就杀老百姓，不管男女老幼，抓一个砍一个。……”

“可怜！可怜！”

“真是野蛮成性！”

“住在租界的也杀吗？”

“他们已经发狂了，还讲什么道理，战事一开始，第二天晚上他们要退出虹口，沿途每家打门，不知道的把门开了，他们就都进去，不分男、女、老、幼的通通杀死，然后就放火烧掉。他们说在战区内，不让一个中国人存在。”

“所以，我们通通都逃了。”

“那个不要命！”

“这一回你们逃出的有多少人？”

“许许多多数也数不完，我们到了车站，每个都要登记的，先到先登记先走，后到的就后登记后走，我们走时还有好几万人等在车站哩。……”

“他们要等六天，才能走到这儿！”

从行列里插进了一声尖亮的嗓音，大家吃惊地回转头去，说话的是一个“红头紫面”的小伙子，背着一只比他身体还要大的包袱，回过头来向大家伸伸舌头，又沉在人群中了。市民们，那疲惫的行列，于是乎都为这滑稽的动作发笑了。

“这小子真是……”

“日本人的子弹，瞎了眼，没有打中他！”

“这个小娘，在这时还会寻开心！”

另一种事情发生了，使这些哄笑的人们慢慢沉寂下去。在行列里，正发生着纠纷，一对中年男女互相扭打起来了。

“我要，我要杀死你！”男的咆哮着，扬着两只铁石似的拳头，女的则畏怯地急遽的后退走去，两手抱着蓬松的头，低声的泣号着。

“我，我什么也不知道啊！”

“怎么回事，怎么回事？”被挤住的人们不耐烦地叫着。

“她，这位婊子养的，把包袱给我丢掉了！”男子诉苦道，气焰已不如刚刚的炎盛了。

“丢了就丢了，有什么好打架的！”

“看着，警察跑来干涉了。”

那男子无奈何地背起地下的零星家具，随着队伍走去，女人远远的跟在他背后，负罪的、畏怯的蹒跚着。

“你手中怀的是什么？”女市民又看到那发黑的、年轻的母亲身上。

“小毛！”年轻的母亲回答着，得意地微笑着。

“已经是？……”胆子大的就提足上前，用手掀开她怀中的衣服，俯着头去端详那发黑的、死了的婴孩。跟着，有三分之二的人，不分男女地都依样做一下。当他们的手触到这婴孩冰冷的面，发现了异样时，都吃惊的叫起来：

“他坏了，你怎么没有注意到，他坏了！”

年轻的母亲，生气的向大家盯了一眼，似是怪他们不该这样胡说八道，于是又用手轻轻的拍着，拿脏污的乳房去喂他那冷僵的、发黑的小嘴巴。但是，他没有像往前一样，用力的吸吮着，当他吸吮不到奶水时，就生气的用力挣扎。他显明是坏了，但她不相信，这思想永远也不会触到她的。

“要死老早已在日本兵手中死了。”她想。

“死了！”

“发臭了！”

市民们互相会意的对望着。

“你把他看看，他坏了！”有一个这样大声的俯近她，似怕她是聋子似的叫着，觉得这个女人已经发痴了。“他连吸乳也不会啊！”

“不！”年轻的母亲坚信地回答着，“他睡着了，从车站一直就睡着的！”

于是，又细心地拿起衣角把他盖着，为了怕太阳。这些幸灾乐祸的市民，在她看来是多么地讨厌啊！人家好好地睡着，他们却偏硬说是坏了。坏了，这多么叫人生气的名词！

“发疯了，这个女人！”

“你闻到没有，有一股臭气从她那儿发出来！”

“怕也有一足天了！”

“但是她还不知道呀！”

市民们纷纷的退走了，于是又重新组织成十几个集团，吸收了新分子进去，谈论着，以这个很感兴趣的题材为中心。直到播遍各店铺、各角落、每一个人，直到因了厌倦，被新的中心止住了为止。

年轻的母亲，显得更加孤独了，人们远远地把她包围着，指手画脚的谈论着，嘲笑着，但她好像没有觉得似的，对他们甚至于连看一看也不看，仍旧轻轻的拍着手，对着远远那走不完的行列后面看着。

一个青年男子，驼着一只大包袱，从远处，行列后面跨着大步，蹒跚地用力向前奔走来，不时抓住随便的一个人问，当他们对他摇着头，表示什么也不知道时，才又走着。

年轻的母亲，没有发疯，也没有神经错乱，她很清楚的就认得他来了，于是亢奋地向他远远的扬着手，哑声地呼叫着：

“天……生！”

天生看见她了，一分钟后便找到她这边来。

“找到了吃的没有？”她问，低声而和气的。

“一点什么的也没找到！”天生绝望的摆着手。“小毛怎样了？”

“他睡着了，很好的睡着了？”

“我看一看他，可怜的孩子！”天生说着，伸手去掀开衣角，用手去摸着他。这一切动作都做得那么细心，那么注意，好像怕把他惊醒似的，但是他的面孔上的平静跟着就被破坏了，他惊愕而发青了，而将于绝望地、哀惨地叫着，“你看，他已经死了！”

“天会责怪你，天生，快不要乱说吧，他很好的睡着哩。”

“你发疯了，他已经死了，快别把他贴得这样紧，他要发臭的！”男子焦急地跺着脚，想伸手去把他接过来，但是她决绝地别过去避开了。

“天会责怪你的，快不要乱说吧！”她哀求地说：

“他睡就要醒的。”

于是她轻轻的把他抚摸着，用她变成赤褐色的眼睛，把他凝视着，慢慢的她伤心起来了，泪珠盈溢着，哆嗦地沿颊边滴下，而那死孩却在她胸前贴得更紧的了。

行列无穷尽的，走着，走着……

新的不断地涌来，而旧的也渐被忘掉了，不一会人们也把这可悲的事情忘掉了。

沪太路上

柳　岩

我们沿着沪太公路从余庆桥折到大场，天色正是大亮的时候。

原野里吹来的风是寒冷的，傍在大场车站边的二辆运输车，这时浴在迷蒙的雾层里面。那些运输员们忙碌了一个通夜，到现在几乎软得像棉花似的，全伏在车厢中呼呼地睡去了！

我们呢，却冒着寒风，在那条死静的沪太公路上行走着。从天空飞来的子弹，还像流火样的时常在我们头顶吼叫，但已不足惊动我们了。我们只觉得连天来胆量是在增大着，我们一点也没有改变了坚定的意志。

然而，郊野的景物，近来却完全的改变了；那平时完整的园田、纵横的渠流、道途……荒芜着，好像安眠在一块死静的山岗上一样，只多了些深洼的战壕！在小路的交叉处，一个毗连着一个，一个衔接着一个。我们从路边望去，觉得这其中并没有一个是粗劣的、简陋的。不少英勇的战士，他们就拖带着所有的武器，在每个战壕中守望着，或是对敌阵上作着射击的准备……

战士们的情绪是非常紧张的、严肃的。在清爽的朝气里，战地上除了稀少的枪炮声、鸦群的吵叫外、人声和家畜厮的叫声，现在简直不能再给我们听到一些了！

时光——十分钟二十分钟地过去了，前方的枪炮声却由懒散、稀疏变成激烈起来了！云块推开的时候，从东北飞来了三架敌人的轰炸机，机声轧轧地在顶空彻响着，我们眼看见远处的大地立刻遭了无辜的轰炸。为要避过敌机的视线，我们即躲到一堆土丘的荫面匿藏着，然而我们最前线英勇的士兵，似乎并不畏惧这些陆空的夹击，他们筑着血肉的长城，冒着炮火，在这时更展开了激厉的冲杀……

敌机在空中周旋，贪婪地发泄它们的兽性；可是半个钟头之后，敌军的阵线纷乱了，残队终因战不过我们，纷纷的向后溃退了。

在到达公路上的时候，一位伤兵从担架床上伸出一条臂膊来，向我们舞扬着。

其中，我又听见他们叫着漫长的“杀”声！

“前方已推进到什么地方了，老乡？”

“在×、×——！”

“此刻打得激烈吗？”

“很厉害的……”

救护员们和我们答呼着，一组组的离开了公路。但在最后那组中，受伤的一位士兵却还在架床上向他们挣扎：——

“老乡！咱……我伤的并不重……谢你替我在这儿包扎一下……让咱再……再去打一阵！”

“好兄弟！安心的往后方去吧！”

“不！——不……”

那坚强的态度，难为了身边的人们。但当抬过一块瓦场的时候，这位伤者的脸色更显得比前苍白了，同时，嘴边已流唾着白沫，二个暗灰的眼珠，也不自主地斜向地面了！

“哦，哦！谁行行好？……行……行好！”

他微弱的喘息着，似乎还不抛忘杀敌的决心，虽然鲜血已沾红了他整块的衣衫。

我在一边明眼地望着，这时十二分的感到不安；终于用抚慰的口吻向他劝告道：

“好兄弟！尊重自己的身体吧——前方已有充实的力量在搏斗，伤愈之后准你再来多杀几个日本兵！……”

“嗯，嗯！——”

随着我的说话，他勉强压住了自己心底的火焰，他重用暗灰的眼珠从我的脸移转到别人的脸上……

可是暴怒的机关枪，还在公路的北端疯狂地扫射着——

嗒嗒……嗒……嗒嗒嗒……

从上海到苏州（一）

梵　戈

“你们大家留心点，看看飞机；昨天在松江已出过毛病，子弹打到脚跟边！”

车过枫林桥，那个穿黄制服的司机回过头来，用极郑重的态度向旅客们下第一个警告。

“我注意后头！”

“我留心右边！”

跟着这警告，旅客们自动起来认定了各人担任监视的方向，大家把两条眉毛几乎结在一起，凝视着，那广漠的天之尽头。一个宪兵立在车门口，也在注意着那天空一片片鳞形的云。

半个钟点，很平安的驰过俞塘，因为平安，几个监视哨兵逐渐从紧张而松弛，大家把眼光收还来，相互谈论着一些并不重要的事。

“飞机，飞机！停，快点！”

突然，宪兵首先发现了飞机，他命令着司机煞车，旅客们大家跑下来，散到四周的田野里。

抬头望，六架飞机分作二队在头上掠过，灰白的机翼上清楚地印着一颗颗红太阳，喤喤的巨声对大家掷下的是一个个死的阴影。飞过去，在离开大家不远的前面，看他把机身略略侧一侧，接着，是几声轰然的巨响，一阵冲天的黑烟。

当前的一个恐怖局面，却不能动摇农民们工作的信心，一些农民还认真地割着田里的稻，飞机掠过头顶时，他们也不屑给以一顾，那一种安详却给了从都市出来的知识分子们的多少惶愧！记者乘间问一个正在工作的农民：

“这里叫什么村？”

“沈家沙！”

“前面呢？”

“前面是华阳桥！”

“飞机炸的是不是它？”

“不会，也许是松江？！”

有半点钟以上，车才继续开行，刚过华阳桥，六架飞机却又在后面出现，于是再把车停下来。

飞机又往返盘旋了半个多钟点，大大小小的炸弹用了一百多，问问附近的农民，说那儿是“松江东门”。

车过松江，松江是静静的，路上有络续的居民背着包袱开始流亡，城门口的警士陪着一些学生在说话，市内有几处房屋冒着烟。

到达离松江不远的渡口，忽然又说有飞机来了，于是旅客们又散开来，抬头望，这次飞机增加到十二架，分四队盘旋在松江上空。估计方向不至于向渡口袭来，大家急急过渡，上岸后再回头望松江，松江上空一片弥漫的黑烟，延长到一里左右，这是十二架飞机的功绩，显然的，松江已随了闸北之后，烽火替他变换着新的历史了。

车在旅客们抱怨与嗟叹之中，继续着未完的航行，三次的空袭增加了大家不少的小心，几十只眼睛常常交射在天空之间，在一个个云层缺处，搜寻各人的发现，司机人特别关心，差不多每一分钟，必要把眼睛向左右作一次搜索。

越过金山、枫泾、嘉善的一些山色塔影，日色略略斜西，车飞驰在烟雨楼头的嘉兴公路上了。遥望烟雨楼，那南国的胜景，依旧静静地雄峙于南湖之中，只是点缀着湖面春色的一些画舫船娘，已经绝迹。路上搬演的，好几处是敌机之成绩！

从嘉兴开始，车从沪杭路折入苏嘉路，苏嘉路是沟通江浙交通唯一的捷径。正因其如此，敌机的轰炸几乎无日或辍，最近的一个月中，苏嘉路上几成为敌机的出没之所，苏州、吴江、八坼、平望、盛泽、嘉兴等几处，无处不遭轰炸，也无日不遭轰炸，沿苏嘉路的车站，没有一处是完整的了。

“你们留心点，苏嘉路了！”

开出嘉兴，司机下了第二次警告，但出人意料之外的，过王江泾，过盛泽，以迄于平望，连一个飞机的影子也没看见，到平望以后，忽然阴云四合，狂风骤起，等离开平望时，细雨如丝，气压更低，眼见敌机将失去其航行力量了。

细雨如丝中过敌楼，敌楼如一个身经百战的老英雄，矗立于胜湖之滨，因为隔着条河，不能走到近身，只能远远的对他凭吊了，烽火连天，胡骑遍地，对着眼前的平倭敌楼，真不禁涕泪之何从！

过八坼之后，即是吴江了，记者在一星期前，曾到过吴江，以及吴江的首镇同里诸地，到那里的第一个印象，就是民众缺乏组织，少训练，一切救亡运动，大致在少数人手里。

吴江的本身还可，如同里等地，那简直更令人失望。同里是江苏的一个产米之区，地主阶级在此地是特别发达的，因其经济之来得毫不费力，于是遇事因循苟且，成了民众生活的规绳，虽近苏、沪皆不满百里，而迷信封建的气息，却特别浓厚。中产阶级以上，皆有被称作“爷们”的资格，已死的革命诗人陈去病，就是这“爷们”中之翘楚！

同里的最高行政长官是区长，但是区长的职务，上午在茶馆中谈谈天，下午不妨打几圈麻将。反正愈如此，一方可以多得联络，一方可以少找麻烦，饭碗也就愈见巩固。

战事发生后，接近战区的居民大家向同里逃，居民平日增加了一二倍，于是区长觉到防务之重要，于是募捐防护费。防护费认捐的结果，一共有七千多。于是开会讨论支配方法，区长说一切动用要经区长核准，也有人要求各部经费各部自行支配。消息传出来，使认捐的居民冷了半截，答应一百的减作五十，答应念块的要过几天再说。

同时，上头有命令，要办理抗敌后援会，结果以每一个学校作为一个单位，每一个团体也作为一个单位，一共十八个单位，成立了抗敌后援会，经费是每个单位出一元钞，一共十八块钱，工作点什么，那就无从得知。

倒是一班青年，很努力、很热心的组织歌咏队、剧团，用本地话演出活报等等。但大家纵然努力，成绩也是有限的。街上，施行交通管制时，壮丁不敢得罪人，只有让大家在飞机底下跑。居民家里的地下室，那自然是不多。

因为同里邻近苏嘉路，于是飞机也整天在头上转，有一天听说吴江毁了一个学校，全同里的学校第二天一律放假，校长告诉学生：“要到飞机不来的时候，才决定开学日期。”

汉奸在吴江放了谣言，几时几时要炸完同里，壮丁以为自己消息灵通，也到处宣传，于是居民皇皇如也，你也求签，我也拜佛，好像只有请神道来答复谣言之是否确实。

像这种现象，在内地也许不止一二处，希望各地地方官尽可能地加以纠正及领导。

过吴江并不停留，到苏州已是三点多。秋雨蒙蒙中过瑞光塔，苍茫万古，回望东方，又恍然若失了！

（十，三十一，在苏州写）

从上海到苏州（二）

王　莹

匆匆地提着行囊，天还不十分亮，经过了冷僻租界的街路，两三个荷着枪弹的外国巡捕，睁着好奇的眼望着我们，临出发时，田方没有来；在一切都是“军事化”的规约下，我们不能等他，大家都十分地懊丧。走不多远，田方奔来了，提了个大被包，大家拉着他就走，那时我们的喜悦真是不可言说的了。

出了租界的铁网，便看见胸前满是挂着手榴弹的我们的保安队在检查着行人，我们把护照拿给他们看，他们亲切地点了我们的人数，就让我们通过了。

船停在塞满了污物的仄仄的小河内，载了三四十人驶开了岸边。一两声叹息从船尾上的一个年老的妇人的唇边送过来，走不多远，满船的人都在谈论着这伟大时代最近所发生的事情：

“你们是逃到什么地方去的？”

“我们的家都给东洋鬼子烧光了！”

“中国兵打胜仗，鬼子老吃败战！”

接着就是一个人详细地叙述鬼子的飞机被我们打落了多少架，我国的飞机是怎样的神勇，怎样的“行”，这样地我们好像忘记了“陌生”，大家亲爱地谈论着。在十二点钟时，忽然日本飞机在空中响了，母亲很急地抱着孩子，客人叫摇船的伙计加快地摇到岸边，空气顿时有点紧张。驶近 ×× 时，飞机更多了，高射炮的声音清晰震耳，一个船客立在桅杆边喊着说：“看，快看，跌落了一架飞机了。”

“不要瞎说，这是我国的飞机，鬼子打不中的！”

一个 × × 的米商很快的申斥着。

“你们为什么不帮着我国兵打鬼子，逃到什么地方才是安全地带，现在是全国抗战的时候……”我们和在我们近边的几个木匠在说话。

“我有一个年老的娘呀！”一个工人忧愁地回答着。

“如果敌人不打完，你的娘也永不会得着太平日子过的。”

“是的，敌人不打出去，我们中国人是永不会得着太平日子过的！”许多人都在点头附和着。

船在下午五点的时候到了一个小县城，我们从出发直到现在，除了早晨每人吃了一团滋米饭外，还没有吃过东西，大家都很饥饿。有几位把箱子托付别人代提去打听明早去苏州的船，还有便去找住宿的地方，我们每人都晒得红着一张脸，背着一只军用水瓶，提着自己的简单行李，当地人都关心地望着我们：“是上海逃来的，性命交关！”

“不，”我们回答着。“我们没有地方可逃，我们是到华北去做事的。”我们回头望他们，他们对我们那么善意地笑着。我们也笑了。

这小县城是一个十分简洁而素朴的地方，人民都穿着得很整齐，表面上是相当的平静的，地方上的民众组织也很好，所有的壮丁都加入了公民训练（已经有五期了，每期有一千五百人，现在受训的公民已达七千五），他们随时都可开到上海前线为祖国而抗战的！此地虽然听不见炮声，可是敌人的飞机却每天不断地在胁迫而威逼着它了。

我们经过警察详细地盘诘后，一个受训的公民做了我们的可爱的向导，便耽搁在一家小旅舍里，吃过晚饭冼星海拿了写好给他母亲的一封信给我看，内容大致报告平安的行踪。他的母亲已经是六十开外的人了，知道她的唯一的孩子要有一个不定的颇长时间在远地去工作的时候，哭得很伤心。他的信上说：“你平时恨东洋人，我们现在是去帮助军队打东洋人的工作，你应该欢喜，每个人都不要自己的儿子去打仗，敌人还会杀得完吗？”我加上一行在后面：“几个月的时间一瞬眼就过去的，我们回到上海，敌人就打得一个也没有了，那时我们要一块高兴地吃一顿饭，喝一盅酒。”

打听船的同伴回来了，我们明早天一亮便要坐民船去苏州。我们对上海的希望是：在最近一星期内把敌人赶出上海，上海的同胞们一星期后便可自由地走在自己的土地上！

船足足摇了一天一夜。二十二的清晨到了苏州。

（二十六年八月二十二日，上海话剧界战时移动第二队寄自苏州）

在苏州

王　莹

一路上使我们最感到苦痛和没有办法的事，便是数不清的叮人的苍蝇和受了烈日蒸晒后的难以呼吸的船中臭气了——跑了二十几里才雇到了一只小民船，还是当地县长特别的关照，船才肯摇，上船后才知道是一只粪船，大家都只好挤到船头和船尾，在夜里一只苍蝇简直要爬到我的耳朵里来了！

一夜我没有好好地合过眼，除了上述的两个原因外，还因为白天驶进 × 县时几个官长的劝告："现在走是太危险了：两天前离此地四里路的地方，曾有两只难民船被敌人的飞机炸了！”于是我们便在天黑的时候开了船，十六的月亮大而圆的悬在天空。所有的人都静寂地屏息着，一路上，一个同伴全夜地坐在船头，预备万一敌人的飞机来了，马上拉下帆篷，把船靠拢岸边去。其余的人都横直地躺在舱板上，船走得很缓慢，船夫十分胆怯，不肯到岸上拉纤，我们的气力大一点的同伴们便勇敢地担任这工作了。

从平门摇到苏州城里，经过许多曲折的小河，两边的人家密密地排列着。有时不能通过极狭的河道，大家都立在船的一边，使小船倾斜着走，这样在平时坐洋车二十分钟便可到的地方，现在却需要二十倍以上的时间了。

由苏地抗敌后援会引领着，耽搁在观前的一座颇大的屋子里，屋主人早逃得空空地了——只留下年轻的女儿在努力做着宣传的工作。大家行装刚卸下，便计划着演剧的事情——预备在苏州演一天，××演一天——

后来知道苏州的人民大部分走空了，而 ×× 也只是上午有人，一到晚上所有的人便都藏到山凹里去了。因此，便把原定的计划取消了。

晚间和苏州抗敌后援会的戏剧股开了一个联席会议，彼此正要开始谈话时，忽然警笛响了，全城的电灯立即熄灭，我们在黯黯的烛光下，彼此团坐得很紧。先由朱君报告苏地工作状况，他们的主要工作是演剧，到乡村教育民众防空防毒的常识，有时也慰劳伤兵。最使我们每个人都要感动得流泪的事：是说到送慰劳品给上前线的士兵时，抗战的士兵们对他们说了这样的话：

“我们有饷，饷也是老百姓给我们的，这些都带去留给后方没有饭吃的难民们吧！”

每个士兵的脸上都有一种坚决的神情——“你们放心好了，我们可以做得到的！”士兵们是这样地回答慰劳者的热望。

讲到苏州的人民，据说现在是“十室七空”，固然战区中非武装的人民应当向安全地带撤退；但在这接近战区的后方，有许多工作，须要民众拼了性命去做的。非武装的人民，也该尽力帮助武装斗士，这才叫“全民抗战”！不是老弱而急于撤退是不对的，苏州的青年们也看到这一点，所以他们说预备下乡去对逃难的人宣传。

我们给他们一点意见，希望他们能够即刻出发到四乡去演剧，舍弃过去固定的形式，而取活报式地，极坚决极明显地把我们的目的传达给民众，我们彼此经常地通讯，交换剧本，把战时演剧移动队的总的目标一致起来。

最后我们要向全国逃难的富人们说：国不存就“一切非吾有”，这时不和敌人尽全力一拼，游移一秒钟，将来要悔恨一万年！你们平时生活得比一般中国人优越，今日祖国遭受了几千年来空前的危难，全国人民都一致地作政府后盾杀敌的时候，你们单独地逃到那儿去，你们不能为国牺牲宝贵的身体，但至少物质上应该尽一点的力吧。我们这许多血腥债没有还，几千万里被人夺去的土地没有收回，我们到最后只剩下一兵一卒也要与敌人拼到底的！

二十六，八，二十四。

战云弥漫的天堂

柁　沫

在寂静的境地，尤其是在月夜，最容易使人怀乡的。此刻应该不仅这样了，大家都已经由狭隘的乡土的情感，扩展到整个的国土上了。除了失去人性的汉奸是例外，哪个不爱自己的国土？

当我们这辆车在中途重新行驶的时候，不过得了一刻间的驻览，已使我对这个初次会面的地方，依依的留恋了。我只知道这是“昆曲的故乡”，在这片土地上面，曾产生过一部流传全国的《浣纱记》，还有出了一个突起于近代剧坛的歌剧家魏良辅。要是记忆起，那种昂扬的腔调，和着一缕悠悠的箫声的时候，不由得神往了！虽然在月夜里看不清这个地方的轮廓，但只要想到这一点过往的文物，则已使人心怀温暖，更是对于四周被蛮横的威力压迫下的国土，觉得加倍的亲切了。

现在，我们在这昆曲的发源地，不但耳边觉不到丝毫昆曲的声息，所听到的尽是侵略者摧残我们的炮火声音。大地好像在安息中，我们这辆车经了长途的奔走，在喘着气，一阵一阵讨厌的 Gasoline 的气味。夜确是深了，不时由扎在车栅上的竹叶拨来几滴露水，偶尔把手摸到面上，感着指尖有些凉意。车身颠簸的很厉害，我便一直站着，因此觉得膝部有点发酸。如果不提出精神来，是很容易疲倦的，所以同车的几个人中，有的不知什么时候已经被催眠了；并且还在说他们的隐秘的呓语，我因为身上只穿着一件衬衣，实在抵不住寒气的侵入，也便躺下去了，于是掀开被胎，盖到身体上来，立刻嗅到一种血腥味，有的部分还是潮湿的，原因是这上面放过伤兵的。最初很感不适，联想到死，肌肤不由得起了栗粒。但当我转念：这是我们英勇的同胞由炮火里换取来的遗迹呵！却只有对他们壮烈的牺牲起崇高之感。

又不知过去了多少路，这时我已经入睡了；突然，仿佛从高空上跌落深渊，心里吃了一惊，连忙搓开惺忪的眼向后方一看，原来是刚才驶过了一座庞大的石桥。从这时醒过来后，我再也想不到睡眠了，因为我已被四周大自然的美丽景色所感动。那是正在夜与日交替的时候。

田野间吹起清新的微风，含着一声声啁啾的鸟语。月光淡了，星星只是在减少着，云层在泛着异彩；树林像一件件贴上的剪影。现在远方的是一眼红光，蒸蒸的从地平线升上，有如初生的炉火。在这似明似暗神速的变化中，使我们预感到明日的来到，已退去了我们昨日的疲劳，产生出一种新的力量。

从“旧”到“新”这一过程，本来是非常短促的，只要一眨眼；往往因为我们没有看明白，就以为很费力，下不了决心。其实这并非不容易发现“新”的，却是在我们只记得“旧”的缘故。虽然这不过对于“自然”所起的感想，但也可以当做“世事”的一种比喻。现在的中国，也就在这似明似暗的动荡中，在蜕化着。我们有如在大自然中守候昨日之后的明日，以最大的希望恭迎我们新生的中国！

在我们一堆融合欢颜中，过去一路绮丽的风光。依了我们原定的计划，到了被称为“地上天堂”的城市；时间很早，城边那分人家，门前杂植着三两株向日葵花迎了由竹墙上漏过来的朝晖。鸡群才从笼里放出来，在咯咯声里，这一瞥和平的小景，却立即落在我们车的后面。不一刻我们这伙十一个人，便停在城内的公园里了。由这里到“吴苑”很近，那是一个闲适的歇脚的地方。这里的茶店很考究而且很发达，好像市民的生活已经成了一种格式，每天早晨他们必须上茶店来坐，在用过茶以后，还要用点心，除这两样，此外便是一份报，对于报纸倒是一个精细的读者，许多谈话的资料是从这里，在悠然的言笑中做他们的结论。但大都只是观察，譬如说“我以为这事情的影响”，或“说不定这个变化就在目前”等等口气。约上午三分之二的时间在谈论新闻。大概受时局影响，这吴苑本来有最著名的说书场，也已停顿起来。他们似有一种传统，就是语言的巧妙技术。以我此刻还能记得的一边联子“清谈见古今”这几个字上，可以证明他们另一面的态度。

也许我对于茶发生不出兴趣，固然这里的茶是驰名的，但似解不了我的奇渴。于是便独自到街坊去，想买冰来消热，正像普通的内地的城市一样，那些曲曲弯弯构成的“深巷”，像脉络似的密布了这座古城。如果在他们防卫得不好的时候，投下一把火，立刻会变成一片灰烬的。现在防卫得非常严密，约隔五家，门前就备有一袋扑火沙。所以即使有轰炸的灾祸临来，也不必担心，可以从容应付的。

有一个冷食店的伙计告诉我，说不久以前这里盘门曾被敌机轰炸过一次，同时落下两颗炸弹，结果只毁了一家茶店，一说是死伤了二十余人，一说是两个人，于是这件不幸的事立刻风闻开来，当时差不多十家九空，都避到乡下去了。现在各商店的门，还是半开半闭的，但大多数已经转回城里。据说近几天比较好些，以前，敌方的飞机一日当中，必成群结队的来三两起；他们见惯了，倒不觉得什么。这话当然有一部分道理，但还是因防空得力，人心才能镇定。证据不用我去找寻，当我还在街心闲步的时候，突然听到一声悠长的警号，立刻，一切扰攘的杂音隐去，成了寂静的世界；行道上的人都已迅速的避进屋内去，秩序很好，这表现出确受相当的训练。晚上只要敌机来袭，便实行灯火管制，市民常常三五次被叫醒。

如今，天堂也像其他地方一样，随时有被敌人破坏的可能。我此次不过廿六小时的逗留，可是我觉得人与人间浮流着一片温情，特别是他们的那种镇静紧张的态度；在我临行前的一刻，还在引动我。一抹斜阳中，我频频回顾着漫弥着战云的天堂。

敌机轰炸中的苏州

惜　梦

十月十六日下午八时，我从前方乘汽车回到苏州，九时一刻赶到车站，候开往南京的火车。车站连日被敌机轰炸，雄伟的站房仅剩了残余的一角。千百个候车的难民，堆满了站房的内外。站房四周，没有地方可以逃避，敌机一旦夜袭，不知又要演出怎样一幕惨剧。问一位路员，什么时候有开往南京的火车，他摇摇头，答一声："说不定。"去问站长，站长说："等到十二点以后再看吧！"因为戒严，十点钟就禁止行人，没有法子，又回到一个旅馆。

苏州的旅馆很多，而且相当整洁，这显然是为了适应一般迷恋苏州的游客。现在有些变了，过往的人们是这样的匆匆，都不是来游玩苏州的山水。

一个茶房首先告诉我，今天东洋飞机，到苏州来了四次，仅在附近外跨塘投了一弹，在这五六天里，这是最安静的一天。他并且告诉我，在旅馆后边，建筑了一个很大的地下室，一听到警报，要我赶快的跑下去。我笑着谢了他一声。

十七日一早起来，叫茶房买一份报纸，好久才买了回来。报刚刚读了一半，空袭的警报响了，正是八点二十分。那茶房似乎格外关心我的安全忙着走进屋子来，引着我跑到地下室。

地下室的建筑，还相当坚实，里边装着电灯；可惜建筑过小，连茶房带客人，实在有点容不开。几十个人挤在一堆，都似乎有了训练，谁也不响动一下。嗡嗡的机声，渐渐飞近，接着便是七八个重量炸弹，在车站一带爆炸了。

九时解除警报，刚过二十分钟，第二次警报又响了。茶房，又进来，把我引到地下室去。这次敌机数目似乎多了，全城的上空，都是嗡嗡的声音，随后敌机的炸弹声，还击的高射枪炮，不断的响着，伏处在地下室里，俨然是像到了炮火连天的火线。

十时三十分，解除了警报。不久，来了第三次警报。茶房又进来，我很郑重的告诉他：“我不怕，以后再不用找我下楼了。”他摇一摇头，很替我担心似的自己跑下去。

还好，这三次，以及四次、五次、六次，或者是侦察，或者是路过，都没有投炸弹。但这尖锐的警报的响声，和全旅馆人们的跑上跑下，情绪已经够使人紧张的了。

下午三时，跑出看看炸后的各处，都是那样凄惨。一些路工，正忙着修复路轨，许多人都充满了愤恨，杂沓在这一个劫后地带的四周。

四时，回旅馆，在路上拉我的一个人力车夫说："东洋兵太可恶了，除投了这么多的炸弹，在钱万里桥、茅山堂和桃花坞、韩衙庄，还抛下了几块石头……"正在这时，响起尖锐的警报。我忙着下车，躲到一棵大树下。敌机三架，飞过上空。二十分钟后，警报解除了，车夫狠狠的骂了一声："该死！"拉起车把，把我拉回旅馆。

吃完晚饭，本想到街上去看上一看轰炸中的苏州之夜，将走下楼梯，又响起警报，通明的电灯，立刻都熄灭了，只好摸着黑再走回屋中。

在这一天里，从早八时二十分，到晚八时三十分，一共发出了八次空袭的警报，整天时光，都在警报的声中消费了。并且，因为苏州距离着前方很近，敌机从上海起飞，二十几分钟就可以到达，所以第一次，便是紧急警报，这使初来苏州的一般旅客，更感到一种异样的紧张。

十八日，敌机来得更早，七时便光临了苏州上空，许多旅客，都在梦中惊觉。三架轰炸机在上空侦察一周，又飞到苏州附近外跨塘车站投了几个炸弹。九时二十分、十时三十分、十一时五十分，敌机继续在苏州车站附近投弹三十多枚。午饭吃完，警报又响了。

下午四时，第九次警报刚刚解除，忙着跑到城里观前街，想在书店里买几本书看，不幸都关门了。就整个的市面来说，的确是消沉得很。

此外所见到的是一些骑着脚踏车为任务来回奔跑的童子军。据在前方所得的消息，这一次淞沪抗战，童子军实有惊人的表现，这一点，使我感到格外的兴奋。

晚饭后，丛大文来，他是 ××× 的随从参谋，我们正谈得兴奋的时候，突然听到第十次警报，电灯熄了，我们在黑暗里继续的谈着。据丛君说，这次也许是我们的飞机，飞过苏州，到上海去轰炸敌人。

半点钟后，警报解除，我把丛君送出旅馆。天上是一片蔚蓝，月明如画，街上的灯光恢复了，人们又开始活跃。几架飞机，几个炸弹，到处破坏，到处残杀，“无空防即无国防”的警语，现在是给了我们一个千真万确的铁证了。

记者事实上不能再滞留于苏州，十九日晨乘着几次警报的间隔，又跑到车站去问，何时有开出的火车，结果，又在几次警报的间隔中，带着失望跑回了旅馆。

由早晨七时，到下午六时，整天都在警报的声中，前后共计十一次，所幸敌机在苏州并没有轰炸，把灾殃都转移到四乡和附近的各站。近来敌机投弹，已经不专在什么显著的目标，各站住宅区域和四乡的农民难民，随意轰炸，随意扫射，敌人残暴的兽性，委实是暴露到了极点。

不过，从另一方面说，敌人这种兽性的暴露，却给了我们一个很好的训练。苏州的民众胆量大了，知道镇静，而且能够严守秩序了。

夜里八时半，再跑到车站，依然是没有车。一个职员，让我再等到十二时以后，那时或者可以决定。我有些焦灼了，跑到站外去闲踱；兵士、车夫、难民、旅客，渐渐又向车站拥挤起来。敌机一旦夜袭，这么一个密集的人群，该怎样逃避？该怎样散开呢？

无意中遇到一位江苏省政府民政厅的主任，到临近战区各县推进救护伤兵的工作，急于返省，所以和我同样的焦灼。沉思了一会，他说："我们不必在这里候了，明天可以改乘公路汽车走。"并且允许托人给我一同买票，于是我们又重回到了原住的旅馆。

二十日清晨，他给公安局长打电话，向汽车站定好了票位。正午十二时，我们很幸运的在警报的间隔中跑上了汽车站，我们更很幸运的在警报的间隔中，离开了被人迷恋过的苏州，离开了正在遭着劫难的这一座古城。

（二十日于无锡梅园）

无锡三周间

——上海救亡演剧队第四队通讯

我们这一群——应云卫、陈鲤庭、瞿白音、魏鹤龄等六十五人，离开上海是在九月三日的早上。我们的船杂在十四艘难民船中，由一架小火轮拖着。船是从苏州河行的，在猛烈的枪炮声中，我们兴奋地告别了上海。

我们的目的地是无锡，可是船只能到苏州，因之我们不能不在苏州勾留一下。我们的第三队当时原就在苏州，所以我们就到他们那里——萃英中学去。在那里，我们耽搁了二宵，帮他们在三元坊苏州中学演了二场戏，上午是演的《保卫大上海》，下午是演的《三江好》、

《毒药》、《小黑子》等独幕剧，因为午后的戏较上午的成熟些，所以效果也比较的好些。

到无锡是六日的午后，当晚承潘一尘先生代邀了当地的工作同志，给了我们很多的指示与帮助。截止到现在，我们在无锡已勾留了三星期——将近四星期之久。在这相当充裕的时间内，我们所做的工作虽显得十分不够，可是在当地各位工作同志的协助之下，终于或多或少的做了一些。

如果用数字来表纪，那么，我们在十五个团体的欢迎会中，在惠山伤兵医院里，在申新第三厂、无锡大戏院（应丝厂工会之邀）、丽新纺织厂、洛社、中南大戏院（公演两天）、徐巷、北西漳、胡埭、青旸、黄泥镇、南西漳、石塘湾、黄港实验区等地，总共演了二十六场，演出了八十多个节目，观众的数量大致在二万五千以上。

此外还有社桥、横林、保安寺等地，有的临时发生了困难，有的因时间赶不上，都没有能够去，这我们是深为遗憾的。

观众中工人约占百分之三十，知识分子和小市民约占百分之二十，伤兵壮丁约占百分之二十，农民约占百分之二十，小孩及其他约占百分之十。虽说二万五千这个数目也不能算是怎样微小了，但拿无锡的百万人口来做比例，那么我们能力所及的地方，似乎还是微乎其微的。

我们因为准备时期的短促和写作能力的不够，同时现存的适用的剧本又是那么少，所以自己感到太贫乏了。我们现在已排好了的，经常轮着演的只有《三江好》、《小黑子》、《毒药》、《回春之曲》、《放下你的鞭子》、《最后一计》等几个戏，此外也只有《卖梨膏糖》、《秦琼访友》、《守城记》、《打杀汉奸》、《灾民》、《大刀舞》、《焦土抗战》、《喇叭响了》等歌唱舞蹈以及诸如此类的小玩意儿。

讲到演出效果，那么因时因地，因观众的不同，它的反响也往往就不同。小孩子在看《小黑子》时有很多下泪的，小市民看《放下你的鞭子》时，抽泣的更多。伤兵和壮丁喜欢看《最后一计》和《三江好》，特别是《三江好》跟《毒药》，无论男女老幼，农工商学兵，都是特别的爱好。当《毒药》中老大误服毒药的先后，《三江好》的后果，所有应获效果的地方，没有一处、没有一次会收不到效果的。

一般的讲来——我们不敢骄傲，但也不想说假话——历次演出的效果，都是相当好的。在胡埭、在青旸、无锡大戏院，我们所受观众的热烈的欢迎足为我们这方面的明证。在胡埭，屋子里再也挤不下了，可是屋外的观众却始终不肯散去，以至我们不能不把同样的节目再到屋外来搬演一次。在无锡大戏院时，有一次忽然降大雨了，围在门口的观众却还是愈聚愈多，宁愿让雨淋，谁都不肯走开去。同样地在青旸，伤兵们第一晚就来看的，而第二晚他们又来了。不管场子里已挤满了观众，不管当事者怎样的劝他们回去，可是他们坚持着还要看一场，这热忱，我们是不能无动于衷的。

只是误于《回春之曲》，一则因为是个三幕剧，二则连排演、制景、改剧本总共只有二天工夫，所以演出成绩比较的差些，这我们至今还感到非常的愧疚！

我们在出发时，想做的工作原就不仅是演剧这一项。我们带有防毒、防空的画解和说明，我们带有彩色图的大幅地图，以及许多暴露日本帝国主义的残酷，发扬我抗战将士的英勇的图画，这些，我们原想到处为民众讲解的。此外，我们还想到伤兵医院去跟前线回来的士兵谈话，跟他们写信，我们还想教人们唱救亡歌，还带了木刻画想到各地去开展览会，这次，我们都部分地做到了。在无锡木刻展览会是开成了，在各乡镇里，我们讲解图画，教唱救亡歌的工作，也都附带地做了一些。

可是对于发动和组织当地戏剧团体的这工作，我们原是认为十分重要的，可没有做到我们理想中的那种程度。

因为我们知道，有许多地方，我们自己的能力是无法做到的。譬如我们对观众的认识，就没有法子能十分清楚，而这次我们演出效果的所以不能更好些，这怕就是一个主因。一个剧本不仅因它故事本身就把它观众限止了，就是剧作者在执笔写作的时候，他对观众情绪的把握、观众的特征，也无不下了一番苦心的。如果我们把观众认错了，不能对症下药，那演出效果的损失，当然是免不了的。这次我们临时下乡去，没法先把我们的观众认识清楚，这我们明知是损失，然而却又无法挽救。

其次，补救剧本荒的最佳办法是采集当地的故事临时编制剧本，可是我们对当地情形不熟悉，因之又不能不承受这相当大的损失。我们知道观众对他亲身经历过的，或是他们熟悉的事情最感兴趣，如果能把他们熟悉的事情编制剧本，那么事半功倍，他们一定会更接受的。

再则，是言语上的阻碍。在太平盛世，话剧诚然是统一言语的工具，可是作为救亡工具之一的话剧，它的主要任务当然是救亡而不是言语的统一，所以言语上的阻碍，是会影响它的宣传作用的。

上述三点是我们自己无能为力的地方，也就是我们所以认为发动和组织当地剧团是十分重要的缘故。我们是移动的，我们不能长久地留驻在某一县或某一镇，要是在我们之后没有一个当地的组织，能经常地把这些工作担负起来，那我们将始终于引为愧恧而深表遗憾！

现在我们是要去镇江，所幸太湖剧社在我们公演之后很快地成立了，青旸青年服务团的话剧组，据说不久也要成立了。

救亡演剧在常州

林　戈

汽车到达常熟城里，就显得荒凉寂寞，马路上没有一家开门的商店，所经过的地方，除了警察和少数几个穷人，简直没有居民。晚上也没有路灯，只有环城十里高高的虞山和冷月疏星，更显现得凄寂。

我们的队伍是歇在山麓的新公园，常熟的情形很不同，防空设备很紧，但同时汉奸的活动也更厉害。

到伤兵医院去慰劳，是我们极重要的工作；到达的当晚，便在当地抗敌后援会之指导下，到了一个住着伤兵的什么山庄去。时间已在傍晚，但没有电灯，空气阴黯而惨淡。一走进去，便听到负伤战士的呻吟和一股血腥味，因为近在乡郊，所以蚊子又特别多，虽然还没有叮着自己的皮肤，意识上却浮起了那些睡在方砖地上的负伤士兵们的苦痛。

屋子里原来是黑的，因为我们一些人的到来，于是燃起了两支蜡，风移影动，十分凄绝。

我们没有方法做工作，结果是唱了两支歌曲，和作了个简短的演说，但我们自己感觉到我们这些工作，实在是薄弱得没有力量的，这些战士们决不能也不需要我们这种所谓慰劳工作，我们眼看到他们身上穿的还是两星期前被炮轰或炸弹受伤时的血衣，他们被蚊虫咬，睡在砖地上，没有医药，没有食物，但是他们是为中华民族解放斗争为抗敌御侮而负伤而牺牲了，我们奇怪百姓们为什么没有表示感激和关心，甚至一件布衣的施舍也没有。他们知道的是逃难、苟安，使我们在愤恨切齿之余，只感到自己工作的无能。

假如全民抗战正式开展的话，这辈民众是须要靠政治手段来强迫，来执行参加后援工作，才能使战争取得胜利，不然他们只知道逃难，后援工作一点得不到帮助，工作会受到莫大的损失。

在这里主要的还是农民方面的工作，我们首先在常熟的郊外作了两次演出，地点是庙宇里，剧目是《放下你的鞭子》和《毒药》，农民对我们这辈人素来不认识，他们称我们为“变洋戏法的”，同时对于我们不卖钱的演戏，表示非常怀疑。我们深怕观众之不来，于是列队到街上去游行，拉着手风琴，大家先唱起歌来，以引起居民的注意，同时大家都变了活动宣传员，用嘴巴向他们叫喊着“到 ×× 地方去看戏，不要铜钿”，但他们却不很相信我们，只是很客气地敷衍着。

戏是演出了，观众也来了，可是这辈可怜无知的农民，对于我们一点不能了解，或者可以这样说，是我们不能理解体贴农民，所以我们的工作一点也不能有办法接近他们。他们不晓得时局已到如何程度了，他们非常老实诚恳，但是又十分可怜。

梅李镇，是离开常熟有四个钟头民船水路的乡村，珍门庙镇，是离开梅李有四十步行路程的乡镇，我们都去做了点宣传工作，情形都差不多，江南风光非常好，夕阳晚霞的时候，湖光山色，村落里的农民还在安闲地工作，真令人不知道是什么时代！

回到常熟，当地要求我们到另外几个地方去演戏，但是为了预定计划之不能破坏，没有办法答应，于是便和这死寂的古城分别了。我们这样感觉到自己的工作虽不是走马看花式的，但在有了这次实际经验后，总觉到太少太薄弱了。即是在乡村里过上一年也不是多余的。

在初次秋风雨中，我们的汽车向武进的路上驶去，行经七十二峰沉浸其间的太湖时，伙伴们疯狂了，是出门后第一次遇到秋风雨，大家坐在一部车里赶路，是我们唯一休息的时候。于是尽情地在这四五个钟点的行程中恣意畅快一番了。

风雨迷茫中，到达了武进，情形很安宁，没有苏州等地方那样风声鹤唳，当地的救亡宣传工作也不错，抗敌后援会及大学生后援会，都有规模较大的演出。剧目有《夜光杯》、《汉奸的子孙》、《放下你的鞭子》等，在演剧水准较低的京沪内地，能有这样的表现，在救亡工作上，无论如何总算不弱的。

慰劳伤兵，是我们到达各地最重要的工作，在当地的清凉寺，都是比较负轻伤的战士，所以精神很好，完全以娱乐来慰劳一番的企图上，排定了如下的节目：独角戏，是吕班的拿手杰作，备受各层观众之欢迎；歌唱，舞蹈，《毒药》——这个戏原来是章泯的作品，以前在上海，星期实验小剧场曾演过，但我们现在经过多次的演出，已把剧本改动了不少，特别是把投毒药强调为汉奸在茶缸里投毒药之一种报复，儿子与朋友由顾而已与吕班饰演，效果好极了，虽然在各处演出，都无法靠舞台技巧，但几成为百看不厌的戏了。

当地教育机关，要我们演一场戏给小学生看，我们都非常兴奋，天真烂漫的小学生作为我们的观众还是第一次，于是选择了两个较合孩子们胃口的剧本，《小黑子》（即《秋阳》）和《放下你的鞭子》，可以容纳二千五百人的礼堂都挤满了，唱党歌时，孩子们的声浪几乎把屋子拆翻了，我们从没有听见这样的怒吼，小学生的怒吼，我们都这样想象着，假如使全中国的孩子们呐喊起来，会使我们的敌人不寒而栗的。第二天要求续演，剧目没有变动，但是小学生观众不但老早挤满，并且据统计，因为坐不下而退出的有一千多人，于是有了第三天的续演，剧目换了一个《两兄弟》，这故事并不是新的，但从没有搬演过，是叙说两个兄弟被敌人抓住了，敌人要他们供出父亲的地点来，兄弟因年轻的关系受不了刑罚想招供了，这时那哥哥设法借敌人的手把弟弟杀了，于是秘密只有他一人知道了，他宁愿牺牲两条性命，而让整千万的弟兄们安全了。

这天共演了两场，剧目是《小黑子》、《两兄弟》、《最后一计》、《毒药》，观众有学生、工人、市民，统计三天来的观客是在一万人以上。

两路职工学校来接洽，要我们演一场戏给铁路工人看，自然我们不但不会拒绝，而是非常欢迎的，我们的工作扩大到铁路工人区域去了。

是个下着雨的傍晚，地点离开我们的住所有相当的距离，但我们的工作人员都很高兴，在荒郊的铁道旁一间课堂里，搭起了一个舞台，那是把休息在煤层里的枕木扛来筑成的。演的戏是《最后一计》和《毒药》，路工职员都对我们表示极大的好感，愿意今后有更大的联系。

戏演出了。观众有六七百人，他们是挤在走廊里，躲在梯子上，泥腿、青布短衫、血红的脸、紫的胳膊，可惜我们没有带开麦拉，这样的观众、这样的剧场、舞台，在我们演剧史上是值得留下一点痕迹的。他们还招待了一顿丰富的美餐给我们。

在夜深风雨的荒郊铁道枕木上走回来，浮起了一种小说似的感觉，细雨浸湿了头发，伙伴们说，觉得很诗意。我们又结束了一天的工作。

九十六架敌机袭京记

沙　雁

同住的人，全走光了。留下的是走不动和不愿走的我和老裘及他的夫人苏信。苏信是一位归化的俄人，她白天服务于一所外人的慈善机关，所以，每天一大早她便出去了，至于老裘，他是每天照例的在外办公，而我虽有公可办，但是，倒不一定要坐办公厅。因此，这天家里只留下了我一个。

这天，是一九三七年的九月二十五日。

大约是早上九点三刻的时候，忽然拉起了警报，在警报声中我钻进了以十二元建筑的地窖。

地窖的门太大，出口必须用竹篱隔起，方可避免无力之流弹，因此，我进了窖第一件事，便是搬篱笆，当我只做了这一点事的功夫，已听到我们的高射炮咚咚咚的向空放射的巨响了。

我这时的确并不如何心惊，大概这是为的飞机距我稍远的关系吧！

不久，呜……的一下，从我头上掠过了一只敌机，又不久，轰然一声，不知是何处中弹了。我心下这时七上八下的跳，房子附近的高射炮，不分个的射上去，敌人的机关枪像雨点的落下来，声音是一串的震着耳鼓。这样约十分钟，无伤的过了一次鬼关，但远处的枪炮声却紧了。

碧蓝的天空，云花数片，敌机来往的交织着。地上的高射炮，高射机关枪，一时整个的石城，到处给死的威胁窒息着了。晴朗的秋空下，人们全感到了三伏天的酷燥，腊月天的懔抖，世仇的愤恨。

这样经过了两个多钟点，敌机去了，于是警报解除了。街上又恢复了交通。我趁了这个功夫走出去，打算买点吃的，但是，目的未达，又传来了警报，这次并无传警报的“洋嗡”，据说敌机炸坏了首都电厂，无电可用。因此，我在街头度过了紧急警报才杂在人群中跑回，不过，这时已是遍体臭汗了。

匆匆的钻进了窖，再也顾不到其他了。

这次窜入的敌机大约是比上次多了，因为头上的呜呜之声，压得人简直放不下怦怦的心，同时高射炮机关枪声，不是显然的更密了吗？

隆、隆、隆的轰炸声，不绝的传来。不断的也有稀微的倒塌声，给秋风送来，当时我的心是如何震动！如何悲愤啊！我想到每一巨声之后，血肉横飞，身首异处及残肢断背，杂于一片瓦砾之间，凄绝人寰的景象。我想到白发苍苍的老人、天真活泼的儿童、无事的妇女，在一刹那便会遭到绝顶之祸的悲凉。同时我更想到我自己将也许就在这时孤单单的葬身于敌人的炸弹之中！

想到这里，我是如何的为无谓的死所震慑着啊，我愤慨日本帝国主义者的野蛮无人性，我诅咒日本军阀兽性的残忍，此时我整个的心给愤怒的火燃起了，悲愤的铁泪，禁不住的挂下了胸襟。

敌人的飞机满天飞，我们的空防像网一样的密，这是我们民族的“以牙还牙”的抗战，虽然南京是遭了敌人空前的袭击，但是有谁是抱怨抗战呢！谁不痛不欲生的打算与城同殉，与国同尽呢！

南京，我们的首都，是已准备着“坚壁清野”，决定着“焦土迎敌”以对日本帝国主义者的侵略，因此一切的牺牲在所不惜。大家都异口同声的说：

“反正，老子只有一条命，给日本拼了，算了！”

“是的，拼了，算了。”这时我又想到了这句话。

敌机这样无目标的轰炸，继续的从九时半左右一直延续到下午四时半，其间分五次而来，第一次来了三十一架，以后是三十二架、六架、十二架、十五架，计共是九十六架，投弹约二百数十枚，死伤近百人左右。

事后据传说打落了七架。一架落在中正路王府园二十七号三进院的中间一进的正堂中，未伤人，而敌机已全坏了。警报解除后，中外人士往观者，途为之塞，莫不称快万分。

另外有一日机师落于被炸的首都电厂之旁，据说该人为 ××× 之炮手所击落，机身不知落于何处。

至于被炸之处，据街头传说，有首都电厂、中央通讯社、中央广播无线电台、卫生署、中央医院之附近一带、中央大学对门卫生事务所等处。前述各地，非平民居所即为商店，不是医院，就是慈善机关，敌人无目的投弹，其蔑视人道，违反国际公法，殊属罪大恶极！

此外被炸之地，尚有作者房后一处，投二弹，死一人，伤二人，毁房数间。此事为四次敌机来袭之事，当时城中空气至为紧张，而漫天之敌机四处投弹轰炸，我高射炮，机关枪一时并发，全城至此遂陷炮火中。我一人面地伏于防空窨中，头上的枪弹密集扫射而下，身周似中弹处极多，不过均未伤及身体，后以我地窨后的高射炮声过密，敌机以此处有何军事设备，于是敌人乃大肆轰炸，简直使我失了知觉，当时我想“我一定被炸身死”，身外一切，一时使我全所茫然。及轰炸之巨声过去良久，始渐苏醒，至此我始有知觉，知曾一度晕去。当我醒转之后，我又以为我住的房子必倒，但出洞一看，才知它安然无恙，不过窗户上的玻璃稍坏数块及一部物件震倒而已。

经过了这次大轰炸，更使南京中外人士对于日本帝国主义者之暴虐残酷、野蛮无理充分了解了，至于对我民众不唯未达到其恐吓之目的，反且加深了国民大众的一致愤懑与仇恨，在人人的心坎上，把这条抗日的壁垒，越加强巩起来。

九月二十五日夜，摇摇烛光下，南京。

在笕桥

陈竹平

在六年前我就没有了家，和没有了一切。我常梦想飞回故乡的黑山白水，还有那一望无边的莽原与遮蔽了天的白桦林。我的一个小妹妹常这样对我说："哥哥！你学会了驾飞机一定要去打日本人，打完了带我们一同飞回来，你再带我们到大豆田里去捉蝈蝈！"是的！我们不能忘记那养育过我们童年的老母亲。

一九三六年的二月，我踏进了美丽的杭州，我的体格是相当壮伟的，但是因为神经紧张的缘故，我投考飞行失败了，于是只能在航空界当一名小小的机械士，南方的生活像梦一样的常逗人萦思。

平时每天早晨四时半就起床，忙着上厂工作，那时太阳还没有出来，直到我们走毕上工厂二里多的路，和做完预备工作，东方才渐渐红起来，慢慢地红得无节制了便又淡下去。发动机流着愉快的声音，我们做完飞行前检查工作起飞，黄色的黑色的飞了满天，飞行线上卷起层层的灰沙，在下工时我们的脸上竟成了沙漠。七月的太阳像烧滚的油，没头没脸向我们全身浇着，一到夏天我们全黑得如焦炭。棚厂永远流不进半点凉风，虽然机场辽阔得如塞外的原野。

七月下旬我们一部分被派担任警戒，只要一知道敌人来袭，二分钟内便可起机驱逐。卢沟桥的烽火很快的又烧到上海，我们不能再忍了！是八月十四日的清晨，我们运了第一个炸弹送到日本的军舰上，在出发时我们装着炸弹引信，抚摸着那些几百斤重的家伙，像获得什么心爱的东西似的。下午因为别的任务，留在机场上的别的机子全飞走了，三点多钟光景杭市忽然响起第一次警报——那使人心颤的悲哀的急促声音。

雨越下越来劲，云幕很低，半山全给埋在云里，环绕西湖乳形的山峰的秀影，再也看不到了。我们很快的起了机，忽然西北角上来了一大队三十余架，我们认得那是我们的。它们在机场上绕了几个圈子，也爬到云里去了，留在地面的我们，只在附近随便隐蔽起来，没一会雨略停，西南角漏出一小方蓝天，就在那块蓝天的角上发现了一架大飞机，单翼银色的二个方向舵，是“客人”来了！空中勇士在很远的地方就忙着招待。他的发动机声音很低，我们知道这是个不速之客，留在机场上加完油待着起飞的六架，同时升了空。客人已在我们的头上了，他很美丽的一个九十度转弯，下了两个炸弹，一前一后飕飐的随着飞机的方向斜飘下来，我又跑了几步，等炸弹快落地时才卧倒，却睡在水里了，訇然一声巨响，空气像扯破一万张布似的向四面撕开，一股子压力四面紧收着。一缕浓烟直冲上天，土块像焰火花在烟里分散，躺在地上好像有人拖了一把，我的神智很清楚，虽然那两个炸弹只离我五十公尺光景，我爬起来想跑到隐蔽壕，在我头上又下来一个客人，只有五百尺高度向机场俯冲下了两个弹，又一声巨响，没有烟，这回却远的。空中和地面的机关枪声密了起来，整个的笕桥在铅弹之中咆哮，那边厂屋着了火了，发动机流着鬼嚎的哭声，平时听着是愉快的跳动，现在狂吼如同一个暴躁的女人。

七时光景全部降落，有的飞往别处露宿，晚上照明灯一亮，整个机场便成为一个无边的绿水湖似的。十时接到监视哨报告说，敌机由台北起飞共十五架进袭杭州，只回三架，那便是所谓远东著名的木更津航空队，只一天就受了重大的打击。

十五日早晨，我们早就预备了，六时半笕桥上空发现了十二架黄脸婆子似的颟顸的水面机，那是母舰上飞起的，全数击落在钱塘附近。笕桥也有两架在空中着火，熊熊火光烙着死灰色的长空。鬼子跳伞了，一张雪白的菌形的保险伞，挂在空气中，慢慢地下降，一落地就教壮丁逮住送给我们，那个俘虏壮健得如同一头小牛，他哭伤着脸说：……他有妻子，他的妻子异常贤惠而且十分爱他，他在很早以前就想归附中国……可是他的炸弹却完全丢在中国的陆地上了，这无耻的哀鸣！

我们的勇士他们用敌人的鲜血在笕桥长空写下一页鲜红的雄壮的长诗，我们是航校的子弟！“笕桥无弱兵”！看啊！我们这一家人已经分散在整个中华老母亲的怀抱里，让我们低飞在东北大森林的顶上、长白山岳、鸭绿江畔，去喙食尽那些蠹蚀我们生活源泉的害蛆吧！

十五日的下午，我们奉命都到别的地方去，我也坐了飞机，权充机关枪射手，俯视我们祖宗遗留下来五千余年的山河，望着和平的村舍、碧绿的田畴、滚滚东流的大江，怀念着天之那方我的家、我的弟妹。弟妹们希望在不久的将来，一定带他们回到故乡，带他们一同去捉会叫的蝈蝈。

嘉兴六日记

罗　平

抗战的气焰既已燃遍了整个中国，只要是中国的土地，在事实上，所谓后方是与前方完全一样。

当我的脚步踏进禾城（嘉兴）的时候，第一眼给我看到的，就是一排被敌机炸毁了的房屋；正是雨天，那些折断的柱栋，悬空突出，一阵斜风，一阵急雨，发出剥啄的摩擦声和淅沥的滴水声，有如在叹息，又如在啜泣。路边坍遍了残砖碎瓦，不消说，在这底下，又埋葬了多少条生命！

禾城似乎是多水多雨的地方，我到那里就遇着下雨，接连四五天，雨并不大，只是蒙蒙的细雨，这正合乎一个幽美的称呼，所谓“烟雨之地”；在过去，凭了它留住了旅行者的兴味，总会在这里勾留一些时候。自从抗战以后，原有的情状就走了样，就是平日生涯很盛的船娘，现在鸳鸯湖里却是反常的寂寞，只有三两只游艇，闲散地泊在湖边。禾城本来是个原料交易的市场，主要的产物是丝和米，鸳鸯湖里的游客，也是商人占多数，抗战一开始，到此采办货物的商人，日渐减少，于是这些沾点买办余润的船娘，只得擦去脂粉，露了憔悴的脸儿，走上了陆地；往时湖上那种行人的欢笑和歌声，现已完全消失在凄迷烟雨之中了。

使人诧异的，也似乎是必然的，就是“雨前”和“雨后”的禾城便显出了两个世界。论理，应该是天晴市面好，但因为敌机不断的侵袭，当太阳照着街道的时候，常有不少的商店仅是开一扇窄门，闲着的伙计们，有的没精打采地注视着过路人寂寞的影子，有的在仰望辽远的天空。可是一到雨天，他们就像是补回日来的空闲，格外感到忙碌。街道上的行人差不多是一手拿着雨具，一手提着充分购置的日用品，这些人大半是由近乡赶来的，他们知道下雨天进城是安全得多。这里（包括四乡）的商情还相当稳定，平时每月二万元的营业税，目前不过减低了百分之二十。其中是烟酒糖果一类的消耗品的税收与战前相差很远，典业税则丝毫未减，这是说明了贫穷的照样以典质度日，而富有的，连消遣岁月的烟酒糖果也在那里撙节了。这固然是好现象，只可惜还是为自己打算，对于认购救国公债却是煞费踌躇。

城里有若干比较富有的人家，他们对于生命格外爱惜，多数避到乡间去了，人数可不少，据粗粗的统计，有二三万之多。但他们似又留恋着城市的安舒，时常差人到城里打听上海的消息，他们似以为禾城不安的原因，完全因为上海战争来的，而未曾想到，这是全面抗战。任何一块地方都有成为焦土的可能，他们对于这次抗战的意义似缺乏认识，与其说逃避是他们的一种敏感，倒不如说由于“富有”的累赘，而画出了他们的臃肿的蠢态。现在惟有“毁家纾难”，才能换得我们永远安全的生存，否则“难”是永无法“避”掉的。

若以禾城四十万人口为比例，这种自私苟安的心理究是极少数人的倾向。大多数都能担负起本分上的责任。最显明的事实，便是“防护队”和“义勇警察队”的组织，不论是日是夜，他们定能准时站到自己的岗位上去，那黄色和黑色的武装裹着结实的身体，背着新式的枪支和闪烁的刺刀，时常在深巷中逡巡，他们对于分派着的事，总是忠心尽职的，由于他们有这种服务社会的精神，此后，这里后方的防务，是可以纯由他们去担当了。这两种部队的队员，都是城里的青年市民，他们完全出于自愿而且自动的，并没有得到官方的津贴，要是各地都能如此，那么国家的实力将增强几百千倍，原有的军队可以毋须顾虑到后方的防务了。

禾城有 × × 多名在乡的壮丁，这些青年农民服务的精神不下于市民。有一天，记者亲自去乡间看看他们的工作，那时气候很冷，必须穿羊毛衫才能保持体温，可是他们还是单衣，雨水湿透了全身，但他们从没有说过一句怨言。他们只花了有限的时间，很快就快要完工。那时候等在旁边的，有一个送饭的老农，他说："现在的官兵都很好，先前的官兵好的少，坏的多。"这话正可以代表一般农民的心理，也可以看出农民过去的隐痛。在他们心里，只要不扰攘他们的田园，官长是可以亲近的，至于贡献人力和物力，他们原是非常甘心的。如果能够给他们更深一层的军事训练和政治训练，使他们清楚地知道怎样打敌人，我敢相信，这种潜伏在中国丰沃的疆土上的浩大的势力，将必至成为一支十分强悍的游击战争中的生力军。

只是，有若干细小的地方颇使我们遗憾，在一个镇上，有个保长私自受了一家几百块钱的贿，就去另行抽调别人家的壮丁。有时，他假公济私，一家有三四个壮丁的他不抽，反去抽只有一个或两个壮丁的人家。因为他在镇上相当有势力，农民们只能偷偷在背后说："我们知道有了国才能有家，但是办法要公平，有钱的不要放掉……"

在×××，有个保长除了克扣壮丁们应得的工资外，还时向他们勒索，勒索不遂，就有几个壮丁连作了十七天工而不得替换!

这几个事实证明了过去保甲制度有多少的缺陷，希望能在不久的将来把它克服过来。

这里有抗敌后援会的组织，工作人员都很热心，办事也非常认真，对于劝募救国公债、劝捐棉背心等宣传不遗余力，尤其是附设的战时服务团，常常不分昼夜地去慰问并照料过境的伤兵，同时为了加强自己的修养和增进工作的能力，在训练班里还刻苦地自己学习。

听说最近先后接到了民厅四个由上面颁布的关于民

众救亡团体的组织方案，虽然在原则上没有什么差别，但是对于各部门的名称却略有不同，以致一时不能决定遵照哪一个方案办。就个人的意见，在民族抗战英勇地展开的目前，政令最好是统一，我们只需要在实际工作上能够有很好的表现，而不必斤斤于名字上的考求，固然组织的健全与否能够影响到工作的效能，但那还是在于工作者本身的认识与工作的态度来决定的。

在短短的勾留期中，从各方面调查得来，知道工作者是的确非常努力，可是还不够十分深入，工作还不够十分紧张。记得有一个事实，因为预防敌机投掷烧夷弹，曾以相当代价购置了好几担细沙，预备分配到各处去，作为扑火之用的，可是沙购到后就一直搁置了很久，无人顾问！

曾和来此视察的 ××× 特派员谈起了一般救亡团体的观感，他很直率地说：“空言多，计划多，而做事少，主持的地方往往成为衙门，而主持者往往只知道做官，以致民众组织异常松懈，民众认识异常低浅，这全是因为工作不够刻苦，宣传不够深入。”这是多么值得我们记取，值得我们反省的话哪！

一天晚上民教馆礼堂看第 ××× 军战地服务队公演的戏，当演到“八一三之夜”中受伤归家的一段，发现坐在我旁边的一个观众随着剧中人的悲伤而在暗泣了，再是“打汉奸”的场面，所有的观众都怒恨地一致喊出了：“打倒汉奸！”这个例子正可以说明宣传的力量，戏剧也是一种有力的武器。只要宣传的内容为民众所要求，或是接触到他们的生活，任何种宣传都能得到效果的。有一次，我看到一个学生，跑到一家商店去，发了一张传单，说一声，“你们要买救国公债”就走了，像这样的宣传方法，谁会相信它能够收到效果！就是标语和口号，现在也该不被认为是主要的宣传工具了！

民众对于抗战的情绪的参差，这是不能否认的，记不清是哪日，在乡下，遇到一个卖香瓜子的老妇人，偶然谈起抗日的事，她说：“自从东洋人来打仗以后，我的生意也大大清淡了，我是靠这过活的，我恨东洋人，如果看到他们，我就咬也要咬他们一口！”她的干瘪的嘴，那么有劲的紧闭一下，虽是“切齿”到极点，但当我发觉她的牙都已残缺的时候，更使我深深地感动了！

又有一回，在某乡镇，听到是一个什么会长的老年人在跟几个学生讲，我听到他的结论：“希望今后，你们不必读别的书，只要大家专心学造枪炮，去把敌人打退了再说。”虽然他的唯武器论，颇有商酌的余地，但是他的抗战的目标却已经看得清清楚楚。

光是这两个老者，已使我们兴奋，他们到了残年，他们的血液还能这样奔腾，何况其他壮年人和青年人？这，我们不能不感谢敌人的赐予，由他把抗日的种子分散到了人间。

目前迫切需要注意的问题是如何把这些种子好好地培养起来。也就是对民众的组织和民众的教育。对于民众的组织，我们不妨通过原有的机构而把它的工作加紧起来。然而很可遗憾的是这里拥有一二千会员的教育会既没有什么行动，妇女会只有寥寥七八十个会员，虽曾一度出动劝募得五六百块钱慰劳金，开办过职工妇女班，训练过船娘和女招待，但因负责者职务羁身和其他原因，到现在还没有新的开展。渔会虽也有近二千会员，然而到现在还没有被编制过，施行过教育。还有值得一提的是：禾城的男女工人，虽有四千以上，可是自始至终就没有个组织。

对于民众教育的工作，责任是在一般知识青年身上的，这里共有六个中等的学校，四个男的，两个女的，计算起来，人数可并不少。此外是所有城乡小学的小学教师以及许多许多休学后闲居家中的青年，假使把他们统统动员了，我敢相信推动力是非常浩大的，对于救亡运动可以迅速而且无限展开。听说以后每两星期，他们预备联合举行大规模的宣传，敬希望这个计划早日实现！可惋惜的是，禾城知识分子的精神的粮食是十分贫乏的，跑遍每一家书店，竟找不出几本新版的书，社会科学的书可说是绝无仅有，就是一般青年人所喜欢的文艺小说或是杂志也是少得可怜。满眼是一折八扣的标点书，出乎我意外的，和上海那样接近的城市，会有这样的情形，这表现出了读者购买力薄弱？还是书商不会迎合读者的心理？深究这两种理由似都不大充分。由此，可见这里青年精神生活的一斑，也就可以测度到他们的文化水准。

正是，禾城似乎烟雨多；一面能看到开明，一面能看到闭塞；但愿此次抗战或能影响他们！从另一角度看，这里的民众对于抗战已发生某一程度的反应，就是生活渐次检点。

据法院的统计，刑事已自一二〇起减至四十起，此中多数是在车站码头发生的窃盗案，这也许是战时特有的现象，平日最感繁盛的风化案，是几乎没有了。民事是已经绝迹，监狱中四百多个犯人，被保释以后，只剩了四十，现在法院仅存院长、首席检察官、推事、主任书记等五人，其余都留职停薪。

最可乐观的是，开征粮赋十分得手，不过两个月，已征收到了二十五万元，比往年超出了六倍。在这个数目上，我们知道今年是丰收的，似乎不但是稻米，蚕丝方面也相当的好，早在七月，浙蚕种场的蚕种已被定了九万张去——那是秋蚕——虽然，战事爆发了，但他们并不因此惶恐，未见退回一张，结果秋季出产了七千斤石新茧，本来由统制委员会十足付现收买的，因为现在要欠三成，于是农民多数在家里自己制造起土丝来了。

这里有四家丝厂，每厂每日平均可出十五担丝，战事发生后，工厂停工，工人都被遣送还乡。现在一方面接到政府的命令，一方面洋行常来催货，急于想复工，但工人全已还乡，他们都是外乡人，以致不能立即复工。

在这些地方，我们知道中国实业家的眼光浅，没有能力把握营业在时局变化中的妥善的运用，只以本身的利益为转移，一时间的损失固然对他们不会感到什么，但这三四千女工因此散失他方，陷于失业的苦境中。没有在事先想个较妥善的办法，留出一个余地，神经过敏地预感着战争来到的威胁，任意把厂门关之大吉，待到有复工必要的时候，这才觉得种种的困恼。这不仅是个人的损失，同时是国家的损失，因为此地的照料销售的主要对象，是美法两国，这样一来，直接于国民经济很大的影响。现在全城工厂的烟突，静静地高昂在空中，可是已看不到往日怒放的丛烟了。

禾城本来是清静的，尤其在发出警报以后，特别使人感到清静，这点我可要钦佩这里居民镇定的功夫。对于空防布置得很周密，因此敌机来此不敢如何放肆，虽然来得很紧，总是高高的飞在云间，自从几处被炸后，都起了戒心，家家筑起防空壕来。有一天，竟警报了二十次以上，记者适在途中，被一家接待，避进防空壕去，壕很坚固，分上下两层，看他们毫不感着空袭的恐怖，反都谈笑自若。

当我作这篇通讯时，几乎每间十五分钟，就得搁笔一次，时续时断，常将思绪隔散。推开窗门，向外望去，禾城已完全现在黑暗中，只能看见屋后的那条古老的运河，缓缓的流水。

“天堂”一角

得　中

在“八一三”以前，上海形势几度的紧张，杭州也同样的随之紧张了下去。大家见面说：“上海要打了！”回答的人也说：“上海要打了！”一阵兴奋，夹杂着一阵轻松，眼看着几年来的仇恨和愤怒，要变成力和血的偿还。

“八一三”夜，证实了人们的预想，大街小巷，到处漂荡着号外的声音（号外是由卢沟桥事变便开始发行了），次日晨，大家见到了记载详细的日报，读过，不由的吐出一口闷气。

但这轻松是不长久的，下午四时，杭州便第一次正式的使用了防空警报，“呜！呜，呜，呜！呜呜……”市民晓得这是什么，因为杭州曾举行过不少次的防空演习。不过演习总是演习，大家预先都有个准备，这次匆促其来，不由得手足失措。幸而杭州的义勇警察和壮丁，都训练有素，马上全体出动，布岗街头巷口，指导人民避难，全市秩序维持甚力。市民有的在家，有的在临时指定的避难所里，耳听轧轧的机声，轰轰的炸弹声，不免有些战栗，直到九点多钟，警报方才解除。

“八一四”正是星期六，次日星期日，早晨没等市民醒来，敌机便又光临，解除警报，已是上午十一时了。警报解除以后，市面便照常热闹起来，满街的卡车、手拖车和人力车，装了家具、人、行李，甚至于猫狗、小孩，总之，是表示的匆促杂乱，在大街上跑，或向东，或向西，或向南，或向北，城里的往乡下搬，乡下的往城里搬，一时秩序颇难维持。

人力车乘时涨价，由杭州城里到灵隐寺要大洋三四元，由城站到三郎庙，一律大洋二元，不折不扣。大家都看西湖安全，西湖各寺庙，和尚临时变成大房东，小屋一间索价十元以上。后到的租不到房，向隅而叹，只好敌机来时，坐小船到湖上避难，于是划子价钱大涨，每小时大洋一元。

接着是在杭无定事的寓公，纷纷离杭，迁入内地。在杭有职业不能脱身的，也忙着把家眷送回原籍，大家传说某某委员昨天也把家眷送回某地，某某局长也把家眷送回某地，于是委员局长以下的，一直到各机关的书记，只要手头有路费，很少有不送走家眷的。

而同时长途汽车，因交通器具的统制，减少了班次，浙赣路又被水冲断，不能直通。湖滨车站和三郎庙码头，大堆的人，堆在那里，买不到票。本来在钱塘江从杭州上水，有两班小轮船，这家公司，自从浙赣路通车以后，生意一落千丈，很多轮船都停驶，大有歇业的趋势。不料这次浙赣路冲断，而杭州逃难的人又都急于离杭，于是这家公司，生意大佳，所有轮船都开驶于江中，尚有不够应用的样子。

这样紊乱的时间并不长，不到一个礼拜，搬的搬走，留的也无处可搬，杭州市就渐渐的复归于平静。敌机仍是不时的光临，除了雨天，一日二三次到三四次不等，警报来，大家躲起来，警报解除，大家照常走路，呜呜声，轧轧声，轰轰声，大家听惯，不再惊慌。

轰炸城站

这样较为平静的过了两月，直到十月十三日，敌机来轰炸杭州城站了。

这次是敌机六架，由杭州西北方面转过来，绕到城站，前面三架高飞，后面三架低飞，及到城站上空，前面三架向后回旋，后面三架陆续下飞，各投弹二枚。原前面的三架亦随之投弹，城站共遭十一弹，站台、天桥、路轨均相当损坏。事后前往察看，路轨上共落弹三枚，均深一尺多，可见所投之弹，均非重量炸弹。路轨略有曲折，经一小时之修理，便又照常通车了。

不料敌机看到这次轰炸，未能将城站毁损，十月十五日又来了第二次轰炸城站。

这次是敌机三架，飞行高在二千公尺以上，由东北方飞过来，行经城站上空，投重烧夷弹两枚，城站当即起火，货仓行李房及办公室票房，都遭炸毁，延烧四五个小时不熄。城站附近的城站旅馆，迎骈茶社，就是我照相馆等，玻璃窗全部震破，隔扇也都倾斜。城站邮政总局玻璃也大半震碎。炸弹屑片，有飘飞到一里以外的地方。

这一次大轰炸，使得城站附近的住民，又发了慌，羊市街福元路一带，又开始搬家，紊乱的情形，与前并无二致。而且，市内住民，一部分神经过敏的人以为这是轰炸杭州城内的开始，便也骚动了，大家又都搬起来，街上又充满了装着家具、行李、大人、小孩、猫狗的车。可是这次往哪里搬呢？

祸从天降

自从八月十四日，敌机第一次光临杭州以后，差不多天天敌机要来几次，城内住民离杭的离杭，不能离的，便纷纷迁入湖滨的庄墅和寺庙里。但是自八月十四日以后，一个多月以来，敌机始终是在笕桥一带轰炸，没有轰炸过城里一回，大家于是发生了神话。

其中一个神话是说：我们军队捉到日本空军的驾驶员，问他们为什么老是认定笕桥一个地方轰炸？那驾驶员说："飞机飞到杭州上空以后，只看到一片山林树木，毫无目标可寻，只在笕桥一带，看到一些房舍，所以投弹总是在那个地方。"这话一个传十，十个传百，不久便人人皆知，说的人兴高采烈，听的人听完念一声“阿弥陀佛！”

又一个神话是说：“杭州从先有一个姓张的大仙，修行得道，羽化而去。张大仙是一个喜欢养鹰的人，在他尚未得道飞升的时候，臂上总是架着两只老鹰。现在敌机来了，天上总有老鹰盘旋，就是那位大仙放出来的，为的驱逐敌机，不要它飞进城内上空来。”

杭州的庙宇，是多到不可胜数的，正如同以前报纸上登着发起和平祈祷念经四十九天的启事中，头一句便是“吾杭素称佛地”，市民搬到庙里或庙边去住，真可谓在佛的脚下，满可以高枕无忧，放心大胆了。

不料飞祸从天降，十月十五日敌机二次轰炸车站以后，飞机还不离开杭州，跑到西湖上兜圈子。里西湖、国术馆、三潭印月、玛瑙寺、茅家埠、孤山等处，敌机均掷下小型炸弹数枚，而杭州市政府卫生科长张信培君，乘了黑牌一〇〇号汽车，在苏堤上急驶，被敌机看到，追着以机关枪射击，张某急停车避于堤边桥下，而汽车随之被敌机炸弹命中，起火焚毁。

这样一来，湖滨住民，又大感不安，住在岳坟、里西湖、白堤、孤山一带的人，又纷然向龙井、九溪十八涧，及各山洞逃避。而敌机在西湖上空，也每每向湖中及湖滨树林间用机关枪扫射，于是湖里的划子，也弄得没有了生意，一小时大洋一元的旧事，只变成了一个甜蜜的回忆。

这样躲来躲去，惶惶不可终日的人，并不是大多数，而大多数的人，是没有力量搬东搬西，躲来躲去的，他们念阿弥陀佛，求菩萨保佑，菩萨不保佑时，便等着炸弹光临。

大体说，杭州市民的防空知识是不够的，紧急警报发出后，西子湖边，仍然徜徉着大批的闲人。夜间，灯火管制后，西子湖边的几个公园里，却燃烧着一圈鬼火，原来是闲人坐在休息椅上吸纸烟，无怪 ××× 将军来杭看到这种情形说："唯有炸弹是最好的教训，敌机不在市内丢几个炸弹，市民无论如何是不会知道小心的！"在比较偏僻的地方，紧急警报发出，大人孩子，聚在一堆，仰看飞机，仍在所不免，警察过来把他们赶进屋去，警察走去，便又出来。

改吸旱烟

商人开店，原为的是利，眼看富人逃走，利无可图，而自己性命交关，唯有一逃了之。店伙胆小，首先解散，继之老板准备关门。

可是地方当局不准，非要商店照常营业不可，有的店家，伙友早经遣散，要营业已不可能，那只好关店大吉。有的无心营业，但报歇业又不得允许，只好托词说："家中有事，暂停营业"门上贴一张纸条，借此不开。但大多数的，是半开门，窗板一律不开，只在门的地方，开出一道缝，这样算是照常营业。

警报是不可预知的，突然一声，“呜呜”叫了起来，商店忙着把留的一道缝关紧，一直等到警报解除以后，才懒洋洋的再把门开开。

物价涨得很高，不论什么东西，都借了上海打仗的话，都一齐飞涨价钱，其中奢侈化妆品，尤其涨得厉害。纸烟一项，更是特出。

因了纸烟的涨价，吸烟的人，纷纷改吸旱烟，在抗战期中，杭州各业都感不振，唯有“宓大昌”杭烟店，却作起好生意。宓大昌，原是杭州一家顶括括的烟店，其中营业除了杭市零卖以外，大宗的是向浙省各县批发。自从抗战开始以来，纸烟因了华成兄弟诸厂在战区被毁，不能出货，外国烟来源也减少，大家改吸旱烟，宓大昌的生意，一变而改为门市兴隆，外县的批货，不及顾到，只门市一项，已经无法照顾。所以在各商店减裁伙友的时候，宓大昌反而增加伙友，包烟包的人，都增加了好些个。

现在杭州的商店，便都是勉强的维持着。大部分是定出营业时间，过时不卖。而且在营业时间内，一闻警报，也立即关门，不管是空袭警报，还是紧急警报。

争奇斗丽的门面，一律改成了灰色或深绿色。入夜门前的霓虹灯不开，便是招牌灯，也都关着。一个略具模样的都市的夜，变成乡村镇店的样子。

防护团员

飞机第一次轰炸到杭州，公务员大老爷们人人都想到自己的办公机关，一定是敌机一个最显著的目标，于是大家一闻警报，纷纷放下公事，抱头逃跑。

各机关，有的便开始迁移了，有的便开始分散办公了，于是许多荒山僻径中，平白的添了一群群青色中山装的公务大老爷。

可是迁地办公，和分散办公，也有许多不方便，譬如调卷啦，会稿啦，都感到十分麻烦，所以稍一平静，大家又纷纷迁回原处。

不过迁回原处，也不能安心办公，警报一叫，大家还是要跑。

当敌机袭杭以前，各机关已经有了“防护团”的组织，什么救护啦、警备啦、消防啦……完备得很，并且印了大红臂章，送到防空司令部盖过印。可是敌机来袭杭州，只看到大群的公务大老爷，臂上挂“防护团”的符号，匆忙忙的向家里跑。

壮丁警察

这有名无实的“防护团”，到如今还是存在着，当警报一鸣，满街急走的，倒有一半挂了红的臂章，可是等到紧急警报发出，敌机声音已近的时候，这种“防护团”，街头已经见不到一个。

但杭州的防护工作，毫不松懈，是谁负了防护的责任呢？——义勇警察和壮丁。

自从八月十四日敌机第一次袭杭，一直到现在，时间过了两个多月，义勇警察和壮丁的工作，是没有一天松懈过的。

义勇警察是什么？受过警训的老百姓。壮丁是什么？受过军训的老百姓。

他们穿上了制服——服装不很整齐，是在所不免的。带上了武器——武器也很难说，有的是步枪，有的是大刀，还有的木棒，但不管什么服装，什么武器，总是精神奕奕，认真负责。

警报一来，马上整装出动，布岗巷口，指导行人到避难所去，闲人一律不准在街上乱走，记者在某城门附近，曾看到一个黄包车夫，一听见警报，马上放下车子，跑回家里，穿起军衣，再出来指导行人，管制交通。

夜里，壮丁随时都在警备着，一过十时，加着“防毒面具”（黑纱灯罩）的路灯，一律熄灭。住家的灯，如果迟过十二时还不熄，壮丁马上来敲你的大门。

夜里，睡在床上，忽然醒来，你会听到你所熟悉的某某商店的胖老板，放开大嗓子叫：“作什么事？到什么地方去？”他在盘查行人。

防空设备

杭州市民是惶惶然，是庸人自扰呢？还是真有点可怕。

这要看从那一方面来说。记得昔者北方有一位大将军，对他的部下训话，问：“天上的乌鸦多不多？”兵士一齐答说：“多。”又问：“乌鸦拉屎不？”兵士一齐答：“拉！”又问：“拉到你们头上过没有？”兵士一齐答：“没有！”于是某将军训话说：“所以飞机丢炸弹，一点也不可怕！”

如果按照某将军的逻辑言，则杭州市民可谓庸人自扰了，否则，却也未可厚非。

杭州的积极防空的不充足，是无可讳言的，而消极防空的不充足，也是相当的事实。公共地下室，根本没有，公共防空壕，也只在旗下营一带才有，而且建筑得也只能说马马虎虎。平民区里是没有人管的。私人筑的地下室、防空壕，大都是因陋就简，不能应用，如果炸弹落到百尺之内，地下室便能震坍，将人活埋在里头。公家也可代人民作好的地下室，起码要三四十元！

所以敌机在头顶转时，老百姓应当怎么办呢？敌机虽然在杭州，没有向城内的贫民投掷过炸弹，但别的地方，敌机是炸过贫民窟的，其道理也就不难明白的。

民众组织

“民众”在“八一三”以后，便“组织”起来了！

这“组织”多得很，一个学校一个，一个同乡会一个……多，真多。

后来大家说：要集中事权统一组织，结果便成了

“浙江省抗敌后援会”。

其中宣传股画了几张油画，挂在街头，很使许多市民感动。还出了一份报，卖报童最初叫卖得很起劲，后来因为购者寥寥（每份六铜元），卖报的也就减少了。

对于伤兵的设备很不完全，对于难民的救济，也不周到。一个什么委员会，许多办公大老爷，仍是上午八时至十二时，下午二时至五时办公，过时大家走散。星期天，大批难民过境，便没有人管了。会里，大家开会议决，等由准此，相应照办，如果一个办事人看到什么需要改革的地方，便须向干事大老爷上条陈。

“民众”组织，如是而已。真的民众，一部分是义勇警察和壮丁，黑夜白天，布岗街头，一部分则躲在家里照常吃饭和睡觉。

一条尾巴

俗语说：“上有天堂，下有苏杭”，杭州总是人间天堂的一半，两月余以来，飞机不停地在头上飞，冷风吹人，沉湎于西子丽色的醉翁，已经不见了。因之湖光大为减色。回想到“把杭州做汴州”的时代，不免使人叹惜“今不如昔！”

三联经典文库第二辑简目

《游击战教程》　明凡 / 著

《游击战术纲要》　陶剑青 / 编著

《汪精卫卖国的理论与实践》　钱俊瑞 / 著

《抗战以来》　韬奋 / 著

《陕行纪实》　楚云 / 著

《随军散记》　沙汀 / 著

《被日寇囚系半载记》　王研石 / 著

《倭营历险记》　房沧浪等 / 著

《活跃的新西北》　田影 / 编著

《保卫华北的游击战》　刘清扬　陈北鸥等 / 著

《徐州突围》　《徐州突围》编委会 / 编

《沦亡的平津》　长江　小方等 / 著

《淞沪火线上》　胡兰畦等 / 著

《瞻回东战场》　长江　罗平等 / 著

《东线的撤退》　胡兰畦等 / 著

《抗战中的西北》　徐盈 / 著

《鲁闽风云》　徐盈等 / 著

《西线生活》　西北战地服务团集体创作

《中国解放区见闻》　［美］福尔曼著 / 朱进译

《全面抗战论》　潘汉年 / 著

《日本的间谍》　范士白自述 / 尊闻译

《日本大陆政策的真面目》　国难资料编辑社 / 编

《民众动员论》　李公朴 / 著

《中国外交史》　钱亦石 / 编著

《太平洋军事地理》　蒋震华 / 著

《世界经济地理讲话》　思慕 / 著

《列强军力论》　［德］马克斯 · 威纳尔著 / 宾符　仲持　梅益等译

《近代国际关系史》　张铁生 / 著

《太平洋现势手册》　沈志远　石啸冲 / 编著

《近代世界政治史》　钱亦石 / 著

《从战争到和平——一九四五年的世界政治》　乔木 / 著

《战后日本问题》　思慕 / 著

《最近一年间的国际动态（1946.7–1947.6）》　《东北日报》社 / 编

《论政党》　翟放 / 著

《法与宪法》　韩幽桐 / 编著

《中华民国宪法刍议》　罗家衡 / 著

《民主 · 宪法 · 人权——作之民》　费孝通 / 著

《宪法论初步》　潘念之 / 著

《对反民主的抗争》　韬奋 / 著

《农村改进的理论与实际》　江恒源 / 著

《上海产业与上海职工》（上下）　　朱邦兴　胡林阁　徐声 / 合编

《陶行知教育论文选辑》　　陶行知著 / 方与严编

《中国通货膨胀论》　　杨培新 / 著

《中国及其未完成的革命》　　H·普拉特著 / 蒋天佐译

《中国的建设问题与人的训练》　　卢作孚 / 著

《论中国特殊性及其他》　　艾思奇 / 著

《中国经济问题讲话》　　钱俊瑞　徐雪寒　王渔邨　姜君辰　骆耕漠 / 合著

《中国经济的道路》　　许涤新 / 著

《中国财政之病态及其批判》　　孙怀仁 / 著

《官僚资本论》　　许涤新 / 著

《五四运动之史的评价》　　陈端志 / 著

《中国通史简编》（上下）　　中国历史研究会　范文澜 / 主编

《论文学的工农兵方向——读〈在延安文艺座谈会上的讲话〉》　雪苇 / 著

《中国近代史（上编　第一分册）》　　武波 / 编著

《文学百题》　　傅东华 / 编

《中国史学之进化》　　周谷城 / 著

《论民族形式问题》　　胡风 / 著

《论批评》　　荃麟等 / 著

《中国史纲》（第一卷上下、第二卷上下）　　翦伯赞 / 著

《近代中国思想学说史》（1–4）　　侯外庐 / 著

《中国政治思想史》（上下）　吕振羽 / 著

《中国哲学史纲要》　向林冰 / 著

《中国政治史讲话》　钱亦石 / 著

《中国社会经济史纲》　王渔邨 / 著

《新财政学大纲》　千家驹 / 著

《太平天国革命运动论文集——金田起义百周年纪念》

华北大学历史研究室 / 编

《理性与自由——文化思想批评论文集》　胡绳 / 著

《战斗者的诗人》　黄药眠 / 著

《国语文法》　曹朴 / 著

《教育哲学》　张栗原 / 著

《妇女问题讲话》　杜君慧 / 著

《婚姻 · 子女 · 继承》　沙千里 / 著

《性教育新论》　布士克　雅各生合著 / 董秋斯译

《狱中杂感》　杜重远 / 著

《七人之狱》　沙千里 / 著

《爱迪生传》　伍况甫 / 译

《歌德自传》（上下）　歌德著 / 思慕译

《尼赫鲁自传》　［印度］尼赫鲁著 / 毕来译

《列宁传》　［苏］凯尔任采夫著 / 企程　朔望译

《罗斯福总统传》　C. Mackenzie 著 / 张尚之译

《托尔斯泰传》（1–3）　［英］阿尔麦 · 莫德著 / 徐迟译

《革命文豪高尔基》　[美]亚历山大·康恩著/韬奋编译

《鲁迅纪念特辑》　新中国文艺社/编

《回忆鲁迅先生》　萧红/著

《人民文豪鲁迅》　平心/著

《亡友鲁迅印象记》　许寿裳/著

《鲁迅思想研究》　何干之/著

《鲁迅研究》　夏征农/编

《过来的时代：鲁迅论及其他》　雪峰/著

《电影戏剧表演术》　洪深/著

《日常心理漫谈》　[美]约瑟夫·查斯特罗著/曾宝葹译

《心理常识漫话》　朱智贤　杨云美/著

《读书的方法与经验》　王任叔/著

《美国黑人生活纪实》　[美]加德维尔　斯坦倍克著/董秋斯译

《初访美国》　费孝通/著

《事业与成功》　[美]马尔腾著/汪原放译

《萍踪寄语（初集）》　韬奋/著

《一生的幸福前途——〈生活周刊〉信箱选集》　生活书店/编选

《深刻的印象》　生活周刊社/编

《海外的感受》　生活书店编译所/编

ISBN 978-7-108-04646-8
9 787108 046468 >
定价：20.00元